La laïcité à l'école

*Un principe républicain
à réaffirmer*

La laïcité à l'école

*Un principe républicain
à réaffirmer*

Rapport de la mission d'information
de l'Assemblée nationale

présidée par
Jean-Louis Debré

Odile
Jacob

N° 1275

ASSEMBLÉE NATIONALE

CONSTITUTION DU 4 OCTOBRE 1958

DOUZIÈME LÉGISLATURE

Enregistré à la Présidence de l'Assemblée nationale le 4 décembre 2003.

RAPPORT

FAIT

AU NOM DE LA MISSION D'INFORMATION [1]

SUR LA QUESTION DU PORT DES SIGNES RELIGIEUX A L'ÉCOLE

Président et Rapporteur

M. Jean-Louis DEBRÉ,

Président de l'Assemblée nationale

———

TOME I

RAPPORT

---

[1] La composition de cette mission figure au verso de la présente page.

Education.

Aux membres de la mission d'information,

M. François BAROIN, Mme Martine DAVID, MM. Jacques DESALLANGRE, René DOSIÈRE, Hervé MORIN, Éric RAOULT, membres du Bureau ; Mmes Patricia ADAM, Martine AURILLAC, MM. Christian BATAILLE, Jean-Pierre BLAZY, Bruno BOURG-BROC, Jean-Pierre BRARD, Jacques DOMERGUE, Jean GLAVANY, Claude GOASGUEN, Mme Élisabeth GUIGOU, MM. Jean-Yves HUGON, Yves JEGO, Mansour KAMARDINE, Yvan LACHAUD, Lionnel LUCA, Hervé MARITON, Christophe MASSE, Georges MOTHRON, Jacques MYARD, Robert PANDRAUD, Pierre-André PÉRISSOL, Mmes Michèle TABAROT, Marie-Jo ZIMMERMANN,

je tiens à exprimer ma reconnaissance pour la qualité de leur réflexion et leur disponibilité. Ils ont permis de donner à ce rapport toute son importance.

J'adresse également mes remerciements aux collaborateurs qui ont accompagné la mission tout au long de ses travaux.

Le Président,

Jean-Louis DEBRÉ.

S O M M A I R E

___

INTRODUCTION

La mission d'information parlementaire sur la question des signes religieux à l'école a été créée par la Conférence des présidents de l'Assemblée nationale le 27 mai 2003 et installée le 4 juin 2003.

Elle est la première illustration de la modification du Règlement de l'Assemblée nationale votée le 26 mars 2003 qui permet désormais au Président de l'Assemblée de prendre l'initiative de constituer des missions d'information sur des sujets intéressant l'ensemble de la nation, d'y réfléchir et de formuler des propositions dans un cadre plus solennel que celui des traditionnelles missions d'information des commissions.

La réflexion sur la question du port de signes religieux à l'école s'est imposée à la suite des difficultés récurrentes rencontrées par l'institution scolaire depuis 1989 qui semblent s'amplifier depuis quelques temps au point de susciter des interrogations sur une éventuelle mise en cause du principe de laïcité à l'école.

Parce que l'école est le lieu particulier où les élèves acquièrent à la fois le savoir, le goût de vivre ensemble et font l'apprentissage de la citoyenneté, il a paru nécessaire de donner à cette institution les moyens de surmonter une difficulté à laquelle elle est confrontée dans sa mission d'intégration et de formation des esprits.

Pour mener cette réflexion, la mission a souhaité entendre le plus grand nombre de personnes en privilégiant celles et ceux qui, quotidiennement, sont confrontés, sur le terrain, à des situations parfois difficiles, tout en recueillant également les opinions des administrations centrales et de leurs ministres, celles des juristes, des organisations représentatives, des représentants des cultes ainsi que des spécialistes des questions religieuses et des grands courants de pensées.

C'est ainsi qu'en 26 séances et 37 auditions et tables rondes, nous aurons entendu plus de 120 personnes.

Par ailleurs, le forum d'expression mis en ligne le mercredi 22 octobre sur le site internet de l'Assemblée nationale a recueilli en 6 semaines plus de 2 200 messages témoignant du véritable intérêt de la population pour cette question (cf. annexe 2). Il faut aussi mentionner les nombreux courriers et contributions écrites adressés à la mission par lesquels nos concitoyens ont souhaité faire part de leur expérience et exprimer leur souhait de participer au débat.

De l'ensemble de ces messages, contributions écrites et courriers, et surtout des auditions auxquelles nous avons procédé et des échanges qui les ont accompagnés, il résulte un certain nombre de constats et une volonté d'agir unanimement partagés.

En premier lieu, les membres de la mission ont dû constater que le principe de laïcité dans notre pays ne doit jamais être considéré comme définitivement acquis.

Ils partagent la conviction que c'est à l'école, lieu de formation des futurs citoyens, qu'il faut en priorité assurer l'équilibre consacré par la Constitution entre le caractère laïque de la République et la liberté de conscience.

Nous avons par ailleurs été frappés par le décalage entre les chiffres officiels fournis par les administrations concernées et la situation sur le terrain, telle que la vivent au quotidien les enseignants et les chefs d'établissement. Loin de se résorber, la question du port des signes religieux à l'école aurait, au contraire, tendance à gagner du terrain, comme l'actualité en témoigne.

Au-delà des chiffres, nous avons été surpris par l'ampleur du décalage entre le sentiment des administrations centrales qui pensent disposer des moyens adéquats pour circonscrire ou surmonter les difficultés et le désarroi de certains chefs d'établissement et de certains enseignants qui estiment être insuffisamment soutenus par leurs administrations et qui sont confrontés à la pression de parents, particulièrement bien conseillés, et de médias omniprésents.

Pour les membres de la mission le « voile », qui est au centre de la polémique, ne peut être réduit à un simple signe d'appartenance religieuse. Il véhicule souvent, si ce n'est toujours, une volonté politique d'affirmation d'une différence et, peut-être plus encore, une certaine idée de l'image et de la place des femmes dans la société. Rares, en effet, sont les jeunes filles qui le portent spontanément, en dehors de toute pression de la famille ou du milieu dans lequel elles vivent. À cet égard, certains témoignages sont édifiants.

Les auditions ont également démontré que cette question du « voile », n'est qu'un des aspects des difficultés que rencontre l'école du fait de pratiques religieuses problématiques, tels que l'absentéisme certains jours, le refus d'assister à certains types d'enseignements, quand ce n'est pas le refus de suivre les cours de certains professeurs ou la contestation très orientée du contenu des enseignements dispensés.

Il apparaît que l'école qui, jusqu'à ces dernières années était un milieu protégé, est maintenant un lieu où s'expriment de plus en plus les tensions et les difficultés de notre société : incivilités, violence, actes ou propos racistes et prosélytismes en tout genre...

Par ailleurs, la question de la laïcité apparaît, à l'évidence, dépasser le cadre de l'école. Si celle-ci est aujourd'hui en première ligne confrontée au problème de la laïcité, et si c'est là qu'il faut agir de façon symbolique, la question touche également d'autres secteurs, tels que les services publics, des administrations jusqu'à présent protégées, comme l'hôpital, mais également le monde des entreprises.

Toutefois, nous n'avons pas souhaité étendre notre réflexion au-delà du cadre fixé par la Conférence des présidents, tout en ayant le souci d'analyser l'ensemble des aspects de la problématique du port des signes religieux à l'école.

À l'issue des auditions, il me semble que tous les membres de la mission ont acquis la conviction qu'il est impératif d'agir sans tarder si l'on ne veut pas que la situation actuelle, fruit d'une évolution intervenue depuis la fin des années 80, ne se dégrade au point de devenir ingérable. Nombreux ont été les intervenants, y compris les représentants des confessions, à dire que si une réponse ferme avait été apportée dès 1989, la situation ne serait pas si difficile.

Et pourtant, la situation actuelle est tellement sensible et juridiquement complexe, que le législateur, celui-là même qui, sur une question aussi fondamentale que celle de la laïcité, s'est tout au long du XIXe siècle et du début du XXe siècle, montré extrêmement offensif, est aujourd'hui acculé à une position défensive ; certains d'entre nous hésitent à faire la loi, à dire le droit.

À titre tout à fait personnel, je considère que cette position est inquiétante. La République n'a pas à s'excuser d'être elle-même. Le Parlement n'a pas à se justifier de légiférer.

Aujourd'hui, la réponse au problème auquel nous sommes confrontés me semble être essentiellement politique.

La médiatisation de tous les incidents qui surviennent dans les établissements scolaires, les prises de position publiques des différentes parties prenantes obligent le législateur à prendre position et à agir. Faute de quoi, son silence, ses hésitations, ses divisions seront interprétés par une large part de l'opinion comme un aveu de faiblesse, un signe d'impuissance, qui ne fera qu'accentuer l'attractivité des thèses extrémistes et les dérives communautaristes.

Dans ce but, la mission propose d'introduire une disposition législative, brève, simple, claire, le moins possible sujette à interprétation, posant le principe de l'interdiction du port visible de tout signe religieux et politique dans l'enceinte des établissements publics d'éducation.

—➤◇‹—

Le présent rapport, dans sa première partie, situe le contexte dans lequel la réflexion de la mission sur la question précise du port des signes religieux devait s'effectuer en rappelant les fondements historiques et la spécificité de la laïcité « à la française », un modèle original à conforter où l'école a joué et doit continuer à jouer un rôle essentiel.

Sur la base des nombreux témoignages recueillis par la mission, la deuxième partie du rapport montre en quoi les manifestations d'appartenance religieuse – et politique – révèlent les difficultés de l'école dans sa mission d'intégration et en quoi celles-ci sont le reflet des tensions et des difficultés de notre société.

L'analyse du régime juridique du port des signes religieux à l'école, qui résulte de l'avis du Conseil d'État du 27 novembre 1989, de sa jurisprudence et des circulaires ministérielles, et les conditions dans lesquelles il s'applique sur le terrain, telles qu'elles ont été rapportées à la mission est l'objet de la troisième partie.

Les conséquences des différents constats de la mission et l'analyse des moyens susceptibles de réaffirmer le principe de laïcité à l'école sont abordées dans la dernière partie. Il est suggéré d'introduire d'une disposition législative interdisant le port visible de tout signe religieux dans l'enceinte des établissements scolaires publics et de la compléter par des mesures d'accompagnement destinées à favoriser la compréhension et l'acceptation de cette interdiction.

Jean-Louis Debré.

PREMIÈRE PARTIE : LE PORT DES SIGNES RELIGIEUX À L'ÉCOLE EST-IL COMPATIBLE AVEC LE PRINCIPE FRANÇAIS DE LAÏCITÉ ?

Si la question du port, par les élèves, des signes religieux à l'école interroge aujourd'hui la société française dans son ensemble, c'est qu'elle touche à l'un des principes fondateurs de la République : la laïcité.

Ce principe fait partie de notre patrimoine. Autrefois l'objet des plus vives querelles, il a peu à peu conquis le caractère d'une évidence. Chaque Français se l'est approprié, à sa manière, au point que sa définition et les réalités qu'il recouvre sont devenues multiples jusqu'à être, parfois, très éloignées des contours juridiques du concept.

Toutes les personnes auditionnées par la mission ont affirmé leur attachement à la laïcité, mais chacune selon sa propre définition, celle-ci oscillant de la neutralité la plus stricte à l'expression du plus large pluralisme.

Par ailleurs, la perception de la laïcité appelle des fantasmes de tous ordres, aussi bien de la part de ceux qui imaginent la laïcité en permanence bafouée que de ceux qui voient en elle une menace perpétuelle pour l'expression de leur foi.

La laïcité « à la française » s'est construite au cours d'un long cheminement. Entre l'expression du principe et sa traduction dans les normes juridiques, plusieurs siècles se sont écoulés. Étendard ambigu de la Révolution, valeur de combat chez les républicains au cours du XIXe siècle, la laïcité, si elle divise moins, interroge encore. Sa pérennité[1] dépend moins de son renouvellement – la loi de 1905, qui constitue le socle légal de cette construction, fait aujourd'hui l'objet d'un consensus – que de sa capacité à appréhender des situations nouvelles, telles que le port des signes religieux à l'école.

I.– LA LAÏCITÉ : UN PRINCIPE CONSACRÉ PAR L'HISTOIRE ET PAR LE DROIT

Qu'est-ce que la laïcité ? Objet de tant de passion, la définition classique du mot est étonnamment brève. À son sujet, le *Littré* est pour le moins laconique : la laïcité renvoie au « caractère laïque » ; est laïque « ce qui n'est ni ecclésiastique ni religieux ». La notion embrasse ainsi un espace vaste et flou et s'appréhende par contraste.

---

[1] Selon un sondage BVA de novembre 2003, 43 % des Français estiment que les pouvoirs publics ne défendent pas la laïcité avec suffisamment de détermination (cf. annexe 1).

Étymologiquement, la laïcité désigne le *laos*, c'est-à-dire le peuple considéré comme un tout indivisible. Elle renvoie simultanément à un principe de liberté et à un principe d'égalité.

A.– LES FONDEMENTS HISTORIQUES DE LA LAÏCITÉ

Si la laïcité, comme mode d'organisation de la société, peut être considérée comme un phénomène relativement récent corrélatif à l'émergence de l'État-nation, le principe même de la distinction entre le pouvoir temporel et le pouvoir spirituel, véritable fondement du principe de laïcité, plonge ses racines dans un passé plus lointain. La problématique apparaît en même temps que le concept de démocratie qui pose la question de la conciliation des deux sources du pouvoir, l'une qui puise sa légitimité du suffrage, l'autre qui la tire directement de la chose sacrée.

1.– Les fondements théoriques

L'équation que donne à résoudre l'émergence de l'idée démocratique peut donc se résumer à la proposition suivante : comment faire coexister, sans heurts, un pouvoir venu d'en « bas » et un pouvoir issu du « haut » ?

a) D'une laïcité sans liberté...

Les guerres de religion en France et la guerre civile anglaise qui font suite au mouvement de la Réforme constituent un moment charnière au cours duquel la problématique de cette coexistence prend un relief particulier et devient l'un des thèmes majeurs de la pensée politique.

Jean Bodin (1530-1596) et Thomas Hobbes (1588-1679) sont parmi les premiers à envisager les moyens d'émanciper le pouvoir politique de la tutelle de la religion. Le premier fonde sa théorie sur le concept de *souveraineté* qu'il définit comme le pouvoir qui décide en dernier ressort. Investi de ce pouvoir, l'État ne saurait être limité par les prétentions des religions à s'immiscer dans la conduite des affaires publiques. Le second développe une théorie plus aboutie. Comme les conflits religieux proviennent, selon lui, d'interprétations divergentes des écritures, il propose que l'État, le *Léviathan*, impose une lecture officielle de ces dernières.

Ainsi les premières versions articulées de l'État laïque dans la philosophie politique moderne sont-elles celles d'une laïcité sans liberté.

b) ... à une laïcité de tolérance

John Locke (1632-1704) dépasse cette contradiction en introduisant la notion de tolérance au cœur de son dispositif théorique. Cependant, il s'inscrit dans une logique protestante, à rebours du *compelle intrare* catholique, et ouvre la voie du processus de laïcisation par *sécularisation*, propre aux pays de tradition protestante.

Jean-Jacques Rousseau, dans le *Contrat social* (1762), va plus loin. En concevant l'État comme l'instrument des fins individuelles devenues, par l'adhésion au « contrat social », l'expression de la volonté générale, il évacue la notion de « sacré » du pouvoir politique.

La laïcité « à la française » est l'héritière de cette conception qui refuse d'accorder à des groupes particuliers des règles spécifiques pour éviter, de proche en proche, que la société ainsi morcelée ne se délite complètement.

À l'exception du régime des cultes reconnus mis en place par Bonaparte *via* le Concordat et les articles organiques qui lui ont été rattachés, la mise en œuvre du principe de laïcité en France a toujours répondu à cette exigence de maintenir l'unité du corps social. Ceci ne signifie pas que les divers systèmes expérimentés depuis la Révolution n'ont pas abouti à diviser profondément la communauté nationale. Mais, le « pacte laïque », comme les tentatives révolutionnaires, ont eu vocation à s'imposer à tous, selon des règles identiques, soit en substituant à des confessions multiples un culte unique soumis à l'État, soit en introduisant un principe conjugué de neutralité et de respect du pluralisme.

Ce dernier principe, organisé par la loi du 9 décembre 1905 concernant la séparation des Églises et de l'État, est celui qui s'applique actuellement en France.

2.– L'épisode révolutionnaire ou la séparation inachevée

C'est avec la Révolution, que le processus de laïcisation tend véritablement à prendre corps dans la société française. Jusqu'alors, la France se présentait comme la « fille aînée de l'Église ». Cette conception, enracinée dans l'inconscient collectif, reposait sur trois thèmes fondateurs : l'antériorité de la conversion de la France, des relations privilégiées entre le royaume et le Siège apostolique et la conviction d'une élection du peuple français par Dieu pour l'accomplissement des desseins de la Providence dans l'histoire de l'humanité condensée dans la célèbre formule : « *gesta dei per Francos* ».

a) « Impossible religion civile, impossible laïcité »

Avec le mouvement révolutionnaire, la France ne se détourne pas de sa vocation universaliste mais tend à substituer à sa fonction de missionnaire de l'évangile catholique, le messianisme de la liberté et des droits de l'homme. La Déclaration universelle des droits de l'homme et du citoyen du 24 août 1789 ne se lit pas autrement que dans cette perspective. Elle s'adresse moins au corps social constitué symboliquement par l'assemblée de ses représentants, qu'à l'humanité tout entière, en consacrant, dans une déclaration solennelle, « les droits naturels, inaliénables et sacrés de l'homme ». La dimension déiste n'est pourtant pas absente de ce texte fondateur de la démocratie française, puisque les auteurs ont pris soin de placer cet énoncé des droits « sous les auspices de l'Être suprême ».

Toute l'ambiguïté de la démarche de laïcisation de la Révolution tient dans ce remarquable raccourci par lequel les représentants du peuple souverain mettent en balance le suffrage démocratique qui fonde leur légitimité et la protection d'une autorité supérieure. La tolérance progresse mais l'établissement de la liberté de conscience coexiste avec l'idée maintenue d'une « religion nationale » qui renforce le gallicanisme.

L'opposition de certains clercs à la Constitution civile du clergé, condamnée à deux reprises par le pape Pie VI, entraîne les nouvelles autorités politiques à exiger qu'ils prêtent serment à la Constitution. Face au refus de la moitié des prêtres de répondre à cette exigence, l'assemblée législative s'engage, à partir de novembre 1791, dans la voie de la répression. Elle laïcise l'état civil et le mariage, jusque-là prérogatives de l'Église catholique, et autorise le divorce.

Dans le même temps, la Révolution devient chose sacrée par le recours au serment civique et la mise en place d'un nouveau calendrier en lieu et place du calendrier chrétien. Cette sacralisation s'accompagne, sous la Terreur, d'une répression féroce à l'encontre de tous les cultes qui culmine en mai 1794, lorsque Robespierre décrète le culte de l'Être suprême.

La chute de Robespierre et l'installation de la convention thermidorienne ouvrent la voie de la reconnaissance du pluralisme religieux et de la neutralité de l'État. La Constitution de l'an III affirme : « *Nul ne peut être empêché d'exercer le culte qu'il a choisi. Nul ne peut être forcé de contribuer aux dépenses d'un culte. La République n'en salarie aucun* ». On retrouve ici l'ébauche de la célèbre formule de la loi de 1905. Mais ces dispositions ne seront jamais appliquées.

b) Une première étape de la laïcisation de la société française

Le Consulat et l'Empire apporteront une première forme de réponse avec l'établissement du « système concordataire ». Celui-ci constitue, selon la classification établie par Jean Baubérot[1], le premier seuil de laïcisation caractérisé par une fragmentation institutionnelle (la religion perd sa vocation sociale totalisante), la reconnaissance de la légitimité sociale de la religion et le pluralisme des cultes reconnus.

En effet, Bonaparte entame des négociations avec le pape. Elles aboutissent à la signature d'un concordat, le 10 messidor an IX (15 juillet 1801). L'unité de l'Église catholique en France est rétablie et son lien avec le Saint-Siège reconnu. Cependant, le catholicisme ne recouvre pas son caractère de culte officiel. L'Église catholique entérine la vente de ses biens, en contrepartie de l'octroi d'un traitement convenable aux ecclésiastiques. Le culte est libre et public, sous la réserve qu'il se conforme aux règles de police.

Bonaparte joint unilatéralement au Concordat des articles organiques qui, tout en permettant à la liberté de religion de s'exercer concrètement, place le catholicisme et le protestantisme, réorganisés, sous le contrôle de l'État. Cette reconnaissance du pluralisme sera complétée, en mars 1808, par un décret réorganisant le culte israélite, sans toutefois que les mesures d'exception concernant les juifs ne soient toutes abrogées.

Pourtant, certaines ambiguïtés perdurent. Ainsi, le code civil entérine la laïcisation du droit familial en opposant droit civil et droit canon sur certains points. La morale religieuse n'est plus officiellement le guide de l'action publique mais elle l'imprègne encore fortement. Portalis, le principal rédacteur du code civil, n'hésite pas à déclarer devant le Corps législatif : « Les lois ne règlent que certaines actions ; la religion les embrasse toutes ».

En fait, le système mis en place par Bonaparte concilie des éléments de laïcité et des éléments de religion civile. Il constitue une sorte de *modus vivendi* qui permet l'apaisement.

---

[1] Président honoraire de l'École pratique des hautes études et titulaire de la chaire « Histoire et sociologie de la laïcité ».

B.- L'IMPORTANCE DE L'ESPACE SCOLAIRE DANS LA MISE EN ŒUVRE DU PRINCIPE DE LAÏCITÉ

La querelle des « deux France », l'une fidèle à l'Église catholique ultramontaine, l'autre, héritière des Lumières et laïque avec ferveur, alimentera tout le XIXe siècle. Chacune triomphera de manière alternée jusqu'à ce que le différend se résorbe aux lendemains de la loi de 1905 autour du « pacte laïque ».

Dans cette lutte, la question scolaire occupera une place primordiale en raison du développement de l'institution et de son rôle éminent dans la formation des citoyens. Creuset des consciences futures, elle cristallise, hier comme aujourd'hui, les débats qui animent la société dans son ensemble.

1.– La laïcisation de l'école publique...

Fait significatif de la confusion qui règne encore au début du XIXe siècle entre l'institution scolaire et l'Église, le premier des ministres de l'instruction publique, en 1824, est Monseigneur Frayssinous, lequel a parallèlement en charge le ministère des affaires ecclésiastiques. Durant la première moitié du siècle, les autorités publiques tenteront ainsi de concilier religion et liberté dans le domaine scolaire.

La loi du 28 juin 1833 sur l'instruction primaire, dite « loi Guizot » renforce l'autonomie de l'enseignement primaire, sans pour autant le dégager de la tutelle religieuse : l'instruction morale et religieuse figure en tête des matières à enseigner et les écoles primaires communales sont soumises à la surveillance d'un comité local présidé par le maire et composé de représentants des cultes et de plusieurs notables locaux.

La loi du 15 mars 1850, dite « loi Falloux », renforce encore le contrôle de l'Église sur l'enseignement. À chaque échelon de l'administration scolaire, sont placés des ecclésiastiques. Ainsi, l'instituteur peut être muté et démis s'il déplaît au curé. Dans le second degré, les établissements privés, dits « libres », se voient octroyer une totale indépendance, aussi bien en terme d'organisation administrative que sur le plan pédagogique.

Avec l'avènement de la IIIe République apparaît la nécessité de détacher les écoles de l'influence de l'Église. La formation de citoyens éclairés est considérée comme la condition indissociable de l'enracinement démocratique et il revient à Jules Ferry, ministre de l'instruction publique, presque sans discontinuité de 1879 à 1883, d'initier le dispositif scolaire souhaité par les républicains.

[note manuscrite : une série de lois / prudence / né pas heurter les fidèles de la r. majoritaire]

Dès 1879, une loi oblige chaque département à entretenir une école normale d'institutrices. Ce texte est complété, l'année suivante, par la loi Camille Sée qui crée les collèges et lycées de filles et exclut l'enseignement religieux des heures de classe mais assure, en contrepartie, la possibilité d'un enseignement religieux facultatif à l'intérieur de l'établissement par un aumônier. Cette dernière disposition est étendue aux lycées de garçons. Les Jésuites sont dispersés et les congrégations – qui se sont considérablement développées au cours du siècle – sont soumises à enregistrement devant les pouvoirs publics. Face au refus d'obtempérer de ces derniers, plusieurs dizaines d'établissements sont fermés. Dans ceux qui subsistent, rien ne change, mais Jules Ferry n'intervient pas. La méthode qui sera la sienne est ainsi initiée qui allie tout à la fois une grande fermeté et une certaine conciliation pour permettre de faire progresser le processus de laïcisation qu'un affrontement trop farouche eût immanquablement fait échouer.

a) La loi du 28 mars 1882 sur l'enseignement obligatoire

[note manuscrite : 28 mars 1882]

Officiellement, la loi du 28 mars 1882 porte sur l'obligation de l'instruction primaire – et non sur l'obligation scolaire – pour les garçons et les filles âgés de 6 à 13 ans. Cependant, trois mesures, contenues dans les trois premiers articles concernent la laïcisation de l'enseignement :

– L'instruction morale et civique remplace l'instruction religieuse en tête des matières à enseigner (article premier).

– La vacance des écoles, un jour par semaine, doit permettre aux enfants de suivre un enseignement religieux, hors de l'enceinte scolaire[1] (article 2 devenu l'article L. 141-3 du code de l'Éducation).

– L'enseignement religieux devient facultatif dans les écoles privées (article 2).

– La loi Falloux concernant les ministres des cultes est abrogée (article 3).

L'application de la loi est l'objet de toutes les prudences de la part du gouvernement. Les nouveaux programmes d'instruction morale préservent une certaine orientation spiritualiste et il est admis que les « devoirs envers Dieu » pourront être évoqués à la fin des leçons, afin de ne pas heurter frontalement les fidèles de la religion majoritaire.

---

[1] Cette solution a finalement été préférée à la possibilité que le catéchisme puisse être donné à l'école, en dehors des heures de classe, comme le souhaitait Jules Ferry.

Une même volonté d'apaisement est adoptée en ce qui concerne le problème de la présence des crucifix dans les salles de classes. Le ministère confie aux préfets le soin d'examiner chaque cas avec attention. Les crucifix seront ôtés lorsque cela ne soulèvera pas l'hostilité des populations ; dans le cas contraire, ils demeureront en place. La circulaire précise en effet que la loi du 28 mars 1882 « *n'est pas une loi de combat [mais une] de ces grandes lois organiques destinées à vivre avec le pays* ».

Le pragmatisme s'exprime enfin dans la querelle des manuels scolaires. Quatre d'entre eux sont mis à l'index par le pape. Jules Ferry, plutôt que de les imposer par la force, prend contact avec les autorités religieuses et parvient, au prix de certains renoncements, à trouver un accord.

La fameuse *Lettre aux instituteurs* que Jules Ferry rédige à la rentrée 1883 constitue le point d'achèvement de cette méthode et reste d'une étonnante actualité. En renonçant à ce que la loi s'applique immédiatement dans toute son étendue, les pouvoirs publics permettent à celle-ci de ne pas être condamnée globalement par une fraction importante de la population.

> **Extraits de la circulaire adressée par M. le ministre de l'instruction publique aux instituteurs, concernant l'enseignement moral et civique le 17 novembre 1883**
>
> Si parfois vous étiez embarrassé pour savoir jusqu'où il vous est permis d'aller dans votre enseignement moral, voici une règle pratique à laquelle vous pourrez vous tenir : avant de proposer à vos élèves un précepte, une maxime quelconque, demandez-vous s'il se trouve, à votre connaissance, un seul honnête homme qui puisse être froissé de ce que vous allez dire. Demandez-vous si un père de famille, je dis un seul, présent à votre classe et vous écoutant, pourrait de bonne foi refuser son assentiment à ce qu'il vous entendrait dire. Si oui, abstenez-vous de le dire ; sinon, parlez hardiment, car ce que vous allez communiquer à l'enfant, ce n'est pas votre propre sagesse, c'est la sagesse du genre humain, c'est une de ces idées d'ordre universel que plusieurs siècles de civilisation ont fait entrer dans le patrimoine de l'humanité.

En effet, Jules Ferry se veut avant tout pacificateur. Sans perdre de vue le but qu'il s'est fixé – la laïcisation de l'enseignement –, il veut parvenir à rapprocher les « deux France ». Plutôt que de s'inscrire dans une logique d'affrontement, il cherche à concilier les points de vue, en privilégiant la neutralité de l'éducation publique vis-à-vis des religions. En cela, sa démarche est très différente de l'approche qui avait prévalu jusque-là de substitution à la religion catholique d'une religion civile « républicanisée ». Pour être originale, sa conduite n'est cependant pas totalement novatrice, puisqu'elle s'inscrit dans les pas de Condorcet qui, dès la Révolution, avait envisagé les moyens de laïciser l'enseignement scolaire.

« *L'éducation publique doit se borner à l'instruction* »

« *3° Parce qu'une éducation publique deviendrait contraire à l'indépendance des opinions (extraits)*»

« D'ailleurs, l'éducation, si on la prend dans toute son étendue, ne se borne pas seulement à l'instruction positive, à l'enseignement des vérités de fait et de calcul, mais elle embrasse toutes les opinions politiques, morales ou religieuses. Or, la liberté de ces opinions ne serait plus qu'illusoire, si la société s'emparait des générations naissantes pour leur dicter ce qu'elles doivent croire. Celui qui, en entrant dans la société, y porte des opinions que son éducation lui a données n'est plus un homme libre ; il est l'esclave de ses maîtres, et ses fers sont d'autant plus difficiles à rompre, que lui-même ne les sent pas, et qu'il croit obéir à sa raison, quand il ne fait que se soumettre à celle d'un autre. On dira peut-être qu'il ne sera pas plus réellement libre s'il reçoit ses opinions de sa famille. Mais alors ces opinions ne sont pas les mêmes pour tous les citoyens ; chacun s'aperçoit bientôt que sa croyance n'est pas la croyance universelle ; il est averti de s'en défier ; elle n'a plus, à ses yeux, le caractère d'une vérité convenue ; et son erreur, s'il y persiste, n'est plus qu'une erreur volontaire. »

Condorcet, *Cinq Mémoires sur l'instruction publique*, 1791-1792.

b) La loi du 30 octobre 1886 sur l'organisation de l'enseignement primaire

Cette loi, dite « Goblet », constitue la seconde étape de la laïcisation de l'école. Elle confie à un personnel exclusivement laïque l'enseignement dans les écoles publiques[1] (article 17 devenu l'article L. 141-5 du code de l'Éducation).

Une nouvelle fois, la loi privilégie la conciliation à l'affrontement brutal. Des délais de plusieurs années sont admis pour que les établissements se mettent au diapason de l'état nouveau du droit (article 18) et la loi rappelle la possibilité d'un enseignement privé « *entièrement libre dans le choix des méthodes* » qu'il applique (article 35 devenu l'article L. 442-3 du code de l'Éducation).

L'alliance de fermeté et de prudence des instigateurs des lois laïques a permis à celles-ci de s'appliquer. Cependant, pour que la laïcisation scolaire soit véritablement achevée, il faut encore convaincre les réticents de son bien-fondé.

L'échec du boulangisme en 1889 confirme la stabilité du régime et annonce le ralliement des catholiques à la République. En 1890, le cardinal Lavigerie lance son fameux « *toast d'Alger* » où il prône l'adhésion des

---

[1] Le principe de laïcité du personnel enseignant dans le secondaire n'a qu'une valeur coutumière consacrée par l'arrêt Abbé Bouteyre du Conseil d'État (10 mai 1912).

catholiques à la forme républicaine de gouvernement. Cet appel est relayé, deux ans plus tard, par l'encyclique *Au milieu des sollicitudes* du pape Léon XIII. Le ralliement cependant n'est pas complet. Si le message papal enjoint aux catholiques français d'adhérer à la République, il appelle également les fidèles à « *combattre par tous les moyens légaux et honnêtes [les] abus progressifs de la législation* », c'est-à-dire les mesures de laïcisation. L'affaire Dreyfus ravive la division qui était en voie de résorption. Celle-ci culmine avec l'adoption de la loi du 7 juillet 1904 interdisant l'enseignement aux congrégations – qui suit l'expulsion violente des Chartreux – et la rupture des liens diplomatiques entre la France et le Saint-Siège (30 juillet 1904).

Dans les villages, deux figures se font face : le curé et l'instituteur, « hussard noir de la République ». Et si Charles Péguy voit en ce dernier « le représentant de l'humanité », pour Maurice Barrès il incarne la désagrégation de la société française qui, en rompant le lien de la tradition pour lui substituer une morale emprunte de kantisme, fondée sur la Raison, fait de l'élève un « déraciné » et le conduit directement de l'école au crime, du pupitre à l'échafaud[1].

2.– … annonce la séparation des Églises et de l'État

Dans ce climat de tension, l'annonce d'un processus de séparation des Églises et de l'État apparaît aux catholiques comme une nouvelle persécution.

Deux projets sont rédigés qui accompagnent la séparation d'une surveillance très étroite des Églises par l'État.

La volonté de revanche semble l'emporter. Pourtant, en l'espace d'un an à peine, les esprits vont considérablement évoluer pour finalement aboutir à l'adoption d'une loi très différente.

a) La loi du 9 décembre 1905 concernant la séparation des Églises et de l'État

Un nouveau texte est élaboré sous la conduite d'Aristide Briand, rapporteur de la commission de la Chambre des députés. Ce dernier doit souvent aller à contre-courant de sa propre majorité afin d'imposer un texte acceptable par toutes les parties. Dans son esprit, la loi ne doit pas être une entrave à l'exercice des cultes mais, au contraire, doit se montrer « *susceptible d'assurer la pacification des esprits* » en démontrant aux Églises qu'elles auront ainsi « *la possibilité de vivre à l'abri de ce régime* ».

---

[1] Cf. Maurice Barrès, *Les Déracinés*, 1897.

inventaire des patrimoine immobilier

La rédaction de l'article 4 de la loi est symptomatique de l'équilibre subtil que le législateur est parvenu à trouver. Les édifices religieux, devenus domaine public, sont laissés à la disposition des associations représentant les confessions, sous réserve que celles-ci se conforment « *aux règles d'organisation générale du culte dont elles se proposent d'assurer l'exercice* ». La contradiction est ainsi levée entre l'appropriation par l'État des édifices religieux et l'exercice plein et entier de la liberté de culte dans le respect de l'organisation particulière de chaque confession.

La loi de séparation des Églises et de l'État est adoptée le 9 décembre 1905. Désormais, la République assure la liberté de conscience et garantit le libre exercice des cultes (article premier) ; elle ne reconnaît, ne salarie ni ne subventionne aucun culte (article 2). C'est la fin du système des cultes reconnus mis en place par le régime concordataire, auquel se substitue le double principe de neutralité de l'État et de reconnaissance du pluralisme.

9 décembre 1905

Les Églises ont désormais un statut de droit privé. À ce titre, elles doivent subvenir à leurs besoins financiers par elles-mêmes. Toutefois, l'État met à leur disposition le patrimoine immobilier dont il est devenu le propriétaire (article 13) et peut, ainsi que les collectivités locales, effectuer les réparations d'entretien de ces bâtiments. Il permet également de créer des aumôneries à l'intérieur des lieux publics dans lesquels les personnes sont astreintes à l'enfermement (article 2). Enfin, il est désormais interdit d'apposer tout signe religieux sur les monuments publics (article 28).

Malgré les précautions qui entourent le dispositif, l'application de la loi rencontre des difficultés. La première concerne l'inventaire des biens ecclésiastiques considéré par certains catholiques comme sacrilège. L'attitude conciliatrice de Clemenceau, ministre de l'intérieur, permet de dénouer le conflit. De la même manière, une solution sera trouvée dans la querelle sur les associations cultuelles – jugées incompatibles avec l'organisation hiérarchique de l'Église catholique – avec le recours aux « associations diocésaines ». En 1921, la France et le Saint-Siège renouent des liens diplomatiques.

b) Le « pacte laïque » ou le « second seuil de la laïcité »

Avec l'adoption de la loi de 1905 se met en place ce que les historiens ont qualifié de « pacte laïque » et qui s'applique aujourd'hui en France. L'expression décrit moins une égalité entre partenaires, puisque c'est l'État qui, en définitive, a imposé ses règles, que l'établissement d'un mode de relation équilibré et durable entre les religions et les pouvoirs publics.

Jean Baubérot qualifie cette étape de « second seuil de la laïcité ». Celui-ci se définit par :

– Une *dissociation institutionnelle* : juridiquement, la religion s'apparente à une association et son influence dans la société ne dépasse pas le rôle d'intervention permis à ces structures.

– Une *absence de légitimité sociale institutionnelle* : les préceptes moraux issus du dogme ne sont plus ni imposés ni combattus par la puissance publique.

– La *liberté de conscience et de culte* qui intègre le champ des libertés publiques, sans distinction aucune, entre les cultes ni prééminence de cette liberté par rapport aux autres.

« L'Union sacrée » de 1914 entérine définitivement le rapprochement des « deux France » en colportant l'image de clercs et de laïques combattant sous le même uniforme pour la défense du pays. L'apaisement se poursuit durant l'entre-deux-guerres au prix, parfois, de quelques aménagements avec la loi de 1905.

La laïcité s'installe alors durablement dans la société française, à l'exception de la période du régime de Vichy. Son principe est désormais inscrit dans la Constitution. Le Préambule de la Constitution du 27 octobre 1946 dispose que « *l'organisation de l'enseignement public gratuit et laïque à tous les degrés est un devoir d'État* » et il est inscrit à l'article Premier de la Constitution du 4 octobre 1958 : « *La France est une République indivisible, laïque, démocratique et sociale.* »

C.– UNE LAÏCITÉ QUI TIENT COMPTE DE CERTAINES SPÉCIFICITÉS

Pour autant, la laïcité ne s'étend ni à l'institution scolaire dans son ensemble ni au territoire de la République sur toute son étendue. En raison des spécificités qui en découlent, la problématique du port des signes religieux ne peut y être appréhendée de la même manière.

1.– École privée et liberté d'enseignement

a) La reconnaissance du principe de liberté d'enseignement

Bien qu'aucun texte du bloc de constitutionnalité ne mentionne expressément la liberté de l'enseignement, le Conseil constitutionnel a donné à ce principe une valeur constitutionnelle dans sa décision du 23 novembre 1977 (DC n° 77-87). Il a notamment fondé son appréciation sur une disposition de l'article 91 de la loi du 31 mars 1931 portant fixation du budget général de l'exercice 1931-1932 qui fait de la liberté d'enseignement un principe fondamental reconnu par les lois de la République[1].

Hormis les luttes contre les congrégations du début du siècle ou la tentative avortée d'instituer un service public unifié et laïque de l'éducation nationale (1984), la possibilité de créer, à côté de l'enseignement public laïque, des structures scolaires, confessionnelles ou non, n'a jamais été remise en cause depuis l'adoption des grandes lois scolaires de Jules Ferry et de René Goblet. Au contraire, le maintien de cette liberté fait partie intégrante du « pacte laïque ». Dès 1886, la loi sur l'organisation de l'enseignement scolaire rappelait expressément la possibilité d'un enseignement privé libre considérant que celle-ci était la condition indispensable au développement parallèle de la laïcité dans l'espace scolaire public.

En fait, depuis 1945, la polémique concernant l'enseignement privé a moins porté sur son existence même – point sur lequel existe un quasi consensus – que sur son mode de financement, certains estimant qu'il n'appartenait pas à l'État laïque de financer des établissements confessionnels.

appartenir à qqn de faire...

b) Le régime juridique issu de la loi du 31 décembre 1959

Actuellement, le régime juridique de l'école privée est régi par la loi n° 59-1557 du 31 décembre 1959, dite « Loi Debré », sur les rapports entre l'État et les établissements d'enseignement privés dont les dispositions sont désormais intégrées dans le code de l'Éducation.

Dans un premier temps, la loi a soulevé l'opposition de la hiérarchie catholique qui craignait de voir son indépendance, en matière d'enseignement, remise en cause. Elle en reconnaît aujourd'hui le bien-fondé. En effet, ce texte s'est voulu une forme de conciliation permettant un financement public de l'enseignement privé, en contrepartie de quoi l'État se réservait le droit d'exercer son contrôle sur ces institutions. Il a ainsi permis de pérenniser l'existence de nombreux établissements privés.

Le contrôle des pouvoirs publics s'effectue de manière différente selon le niveau du financement alloué par l'État aux établissements scolaires. Il est à remarquer que le caractère confessionnel ou non de

---

[1] Art. 91. – Sous réserve du maintien de la liberté d'enseignement, qui est un des principes fondamentaux de la République, par extension des dispositions de l'article 157 de la loi de finances du 16 avril 1930, instituant la gratuité de l'externat dans les classes de sixième de tous les établissements d'enseignement secondaire de l'État, les rétributions scolaires de l'externat simple cesseront d'être perçues, à dater du 1er octobre 1931, pour les élèves des classes de cinquième des mêmes établissements. […]

l'établissement ne constitue pas un critère. Le droit français appréhende en effet indirectement cette question à travers la notion de « caractère propre », à laquelle le Conseil constitutionnel a donné une valeur constitutionnelle par la décision du 23 novembre 1977 susmentionnée, sans toutefois en préciser le contenu.

– Si un établissement privé ne sollicite aucun financement public (établissement *hors contrat*), l'enseignement qu'il dispense est libre et le contrôle de l'État léger, puisqu'il se borne à veiller « *aux titres exigés des directeurs et des maîtres, à l'obligation scolaire, au respect de l'ordre public et des bonnes mœurs, à la prévention sanitaire et sociale* » (article 2 devenu l'article L. 442-2 du code de l'Éducation nationale).

Dans les faits, les écoles ayant opté pour ce régime sont très peu nombreuses. Le régime juridique le plus courant est celui de l'école privée sous contrat. La loi prévoit deux types de contrats : le contrat simple et le contrat d'association. Dans les deux cas, les établissements doivent préparer les élèves aux diplômes et examens selon les programmes nationaux et les maîtres sont rémunérés par l'État à raison des diplômes qu'ils possèdent.

– En cas de *contrat simple*, l'établissement conserve une certaine autonomie dans l'organisation de l'enseignement et la répartition horaire des matières enseignées. La surveillance de l'État se limite à un contrôle pédagogique et financier (article 5 devenu l'article L. 442-12 du code de l'Éducation nationale).

– Par contre, la signature d'un *contrat d'association* entraîne, pour l'établissement, l'obligation d'aligner strictement son enseignement sur celui dispensé dans les écoles publiques. En contrepartie, l'État assure les dépenses de fonctionnement sur les mêmes bases que celles en vigueur pour les établissements publics. Néanmoins ces règles ne remettent pas en cause l'existence du « caractère propre » de l'établissement qui peut s'exprimer dans les activités extérieures au secteur sous contrat[1] ou bien, à l'intérieur même de ce secteur, par une approche pédagogique différente qui peut tenir compte du caractère confessionnel de l'établissement (article 4 devenu l'article L. 442-5 du code de l'Éducation nationale).

L'audition des chefs d'établissement de l'enseignement privé a montré combien ceux-ci étaient attachés à la préservation de ce « caractère propre ». Pour tous, cette notion intègre la possibilité de manifester son appartenance à une religion dans l'espace scolaire.

---

[1] L'établissement a également la possibilité de solliciter un contrat portant sur certaines classes seulement et non sur l'ensemble de l'établissement.

régimes particuliers
législation spécifique

2.– Les régimes particuliers applicables à certaines parties du territoire de la République

vif refus

a) Le statut particulier de l'Alsace-Moselle

Sous l'Ancien Régime, l'Alsace bénéficiait déjà d'une législation spécifique en matière religieuse. Le culte catholique jouissait d'une relative indépendance par rapport au pouvoir central. Les religions luthérienne et israélite étaient également régies par des statuts particuliers qui leur garantissaient le libre exercice de leurs cultes.

Après la période révolutionnaire, hostile à toutes les Églises, les cultes sont rétablis, en Alsace, comme ailleurs, par le régime concordataire. Jusqu'en 1871, l'Alsace va ainsi connaître le même statut cultuel que les autres provinces françaises.

L'annexion, par l'Allemagne, des départements du Rhin et de la Moselle qui suit la défaite de 1870 ne modifie pas le régime cultuel hérité du Consulat. Néanmoins, le redécoupage des frontières et la mise en place d'un droit fédéral, entraînent la création de nouveaux organes directeurs, conformes à la structure fédérale de l'État allemand : les consistoires départementaux israélites du Bas-Rhin, du Haut-Rhin et de la Moselle se séparent du consistoire central de Paris ; l'Église réformée et l'Église de la confession d'Augsbourg se séparent des Églises réformées et luthériennes françaises ; les diocèses de Metz et Strasbourg sont détachés de l'archevêché de Besançon pour être directement rattachés au Siège apostolique.

Lorsque, en 1905, est adoptée la loi de séparation des Églises et de l'État, le maintien du régime ancien entraîne enfin une césure complète avec la législation religieuse applicable en France.

Pour des raisons politiques, la spécificité de ces départements ne sera jamais remise en cause, y compris en 1918 avec le retour de l'Alsace-Moselle à la France. En 1924, la tentative du président du Conseil, Édouard Herriot, d'y substituer les lois laïques se heurte à un vif refus des populations entraînant le retrait du projet gouvernemental. La même situation se reproduira en 1945 à la chute du régime nazi, l'opposition des Alsaciens et mosellans contraignant une nouvelle fois le gouvernement à renoncer à toute idée d'abrogation du régime spécifique propre à ce territoire. L'ordonnance du 15 septembre 1945 rétablissant la légalité républicaine maintient donc, de façon provisoire, la législation locale d'avant 1940. Cette législation ne sera plus remise en cause par la suite, malgré quelques vaines tentatives, dans les années 50, visant à régler définitivement la question de l'école confessionnelle privée sur l'ensemble du territoire français.

Le régime de droit local est ainsi très profondément enraciné dans la société alsacienne et mosellane. Selon une étude réalisée par l'Institut du droit local et le centre CNRS de l'université Robert Schuman à la fin des années 90, 90 % des sondés perçoivent le droit local des cultes comme un avantage, alors même que seuls 9 % d'entre eux avouent une pratique religieuse hebdomadaire, 18 % ne fréquent jamais les offices et 11 % se disent non croyants.

Le régime applicable à l'enseignement public est abusivement dénommé « régime concordataire » en référence au Concordat de 1801. En réalité celui-ci ne traite pas des questions scolaires. Il s'agit d'un régime de droit local proche de celui établi par la loi « Falloux » de 1850, dont les particularités seront développées dans la quatrième partie du rapport[1].

On rappellera simplement que l'enseignement religieux est obligatoirement organisé par les établissements publics pour les quatre cultes reconnus (catholique, luthérien, calviniste et israélite) et que le suivi de ce cours est obligatoire pour l'élève, sauf dispense de celui-ci auprès du directeur de l'établissement par son représentant légal. L'élève est alors tenu de suivre un enseignement de morale.

b) Les autres territoires à statut particulier

– Dès 1905, la *Guyane* a été exclue du champ d'application de la loi concernant la séparation des Églises et de l'État (article 43). Le « régime concordataire » a été maintenu, lequel prévoit, comme en Alsace-Moselle, l'enseignement des cultes reconnus à l'école publique et son financement par l'État.

– Le droit applicable dans les collectivités d'outre-mer (Wallis-et-Futuna et la Polynésie française[2]) et dans les collectivités *sui generis* qui sont rattachées à cette catégorie administrative (Polynésie française, Saint-Pierre-et-Miquelon et Mayotte) est régi par le principe de la « spécialité législative » issu de l'article 74 de la Constitution. En vertu de celui-ci, le droit qui réglemente ces territoires peut différer de celui qui s'applique sur le reste du territoire :

En application de la loi n° 85-959 du 11 juin 1985 relative au statut de l'archipel de *Saint-Pierre-et-Miquelon*, la loi est applicable de plein droit à cette collectivité selon un principe d'assimilation. Les règles scolaires,

---

[1] Ce régime est notamment organisé par certaines dispositions de droit allemand (loi du 12 février 1873 et ordonnance du Chancelier du 10 juillet 1873).
[2] Les Terres australes et antarctiques françaises font également partie de cette catégorie administrative. Etant donné la spécificité de ce territoire, la question de l'application du principe de laïcité ne s'y pose pas.

parmi lesquelles les règles de laïcité, s'appliquent de la même façon sur ce territoire que dans le reste de la France.

En *Polynésie française* et à *Mayotte* les dispositions relatives à la laïcité de l'enseignement public s'appliquent dans leur quasi intégralité. Seul l'article L. 141-1 du code de l'Éducation, qui reprend le 13e alinéa du Préambule de la Constitution de 1946[1], ne s'applique pas. L'article L. 141-3 du même code, transcription de l'article 2 de la loi du 28 mars 1882[2], est remplacé par les dispositions suivantes qui reprennent, pour l'essentiel, mais dans une rédaction différente, celles applicables au reste du territoire : « Dans les écoles maternelles et élémentaires publiques, l'organisation de la semaine scolaire ne doit pas faire obstacle à la possibilité pour les parents de faire donner, s'ils le désirent, à leurs enfants l'instruction religieuse, en dehors des édifices scolaires et en dehors des heures de classes. »

Les mêmes dispositions s'appliquent à la *Nouvelle-Calédonie*, auxquelles il faut ajouter certaines modalités particulières qui tiennent au statut particulier de l'archipel. En effet, en application de la loi organique n° 99-209 du 19 mars 1999 relative à la Nouvelle-Calédonie, l'enseignement primaire public relève de la compétence du Congrès du territoire, sous réserve de la possibilité pour les provinces d'adapter les programmes en fonction des réalités culturelles et linguistiques qui leur sont propres ; l'enseignement primaire privé, l'enseignement du second degré public et privé sont de la compétence de l'État jusqu'à leur transfert à la Nouvelle-Calédonie au cours de la période correspondant aux mandats du Congrès commençant en 2004 et en 2009.

En ce qui concerne *Wallis-et-Futuna*, outre les deux exceptions susmentionnées pour la Polynésie française et Mayotte, l'article L. 141-5[3], qui reprend l'article 17 de la loi du 30 octobre 1886, disposant que l'enseignement primaire est exclusivement confié à un personnel laïque, ne s'y applique pas, puisque l'enseignement public fait l'objet d'une concession de l'État à la mission catholique des pères de Sainte Marie. Il s'agit là d'une double dérogation au principe de laïcité de l'enseignement public dans la mesure où les cours sont dispensés par des religieux dont la rémunération est prise en charge par l'État.

---

[1] Art. L. 141-1. – Comme il est dit au treizième alinéa du Préambule de la Constitution du 27 octobre 1946 confirmée par celui de la Constitution du 4 octobre 1958, « *la Nation garantit l'égal accès de l'enfant et de l'adulte à l'instruction, à la formation et à la culture ; l'organisation de l'enseignement public gratuit et laïque à tous les degrés est un devoir de l'État* ».

[2] Art. L. 141-3. – Les écoles élémentaires publiques vaquent un jour par semaine en outre du dimanche, afin de permettre aux parents de faire donner, s'ils le désirent, à leurs enfants l'instruction religieuse, en dehors des édifices scolaires. L'enseignement religieux est facultatif dans les écoles privées.

[3] Art. L. 141-5. – Dans les établissements du premier degré publics, l'enseignement est exclusivement confié à un personnel laïque.

II.– L'« EXCEPTION » FRANÇAISE : UN MODÈLE ORIGINAL À CONFORTER

L'originalité du modèle français de laïcité tient autant à l'aboutissement de sa construction juridique qu'à la singularité de sa conception historique qui lui donne une valeur symbolique éminente, indissociable de l'existence de la République. Il est en effet possible d'affirmer que République et laïcité ne font qu'un, tant cette dernière a contribué à l'émergence et à l'affirmation de celle-là.

A.– LE MODÈLE FRANÇAIS...

1.– La laïcité à la française : un modèle original ?

Contrairement à une idée couramment répandue, la France n'est pas le premier pays où la laïcité s'est développée.

En Grande-Bretagne, la loi Foster, votée en 1870, met en place les *non sectarian schools* qui accueillent les enfants des diverses confessions. L'enseignement, assuré par un instituteur indépendant du clergé, est inspiré de principes moraux et religieux suffisamment généraux pour ne pas heurter les sensibilités des élèves.

En Allemagne, le *Kulturkampf* mis en place par Bismarck, à partir de 1871, est une tentative de laïciser l'enseignement catholique et de renforcer le contrôle de l'État sur la hiérarchie épiscopale – sous-tendue par la volonté politique de briser l'influence du parti *Zentrum,* proche des catholiques.

En Italie, la religion ne constitue plus une matière obligatoire de l'enseignement primaire dès 1877. Mais cette mesure est très diversement appliquée.

a) Des influences étrangères

Les grandes lois scolaires de la IIIe République sont ainsi précédées, dans plusieurs pays européens, de législations visant à détacher l'école de l'influence de la religion. Les lois françaises du 28 mars 1882 sur l'enseignement obligatoire et du 30 octobre 1886 sur l'organisation de l'enseignement primaire sont particulièrement influencées par la loi Van Humbeck adoptée par le Parlement belge en 1879. Celle-ci procède à la laïcisation du personnel enseignant, substitue l'instruction morale à l'instruction religieuse et fait dispenser le catéchisme en dehors des heures de classe. Les difficultés d'application rencontrées par cette loi détermineront le législateur français à différer jusqu'en 1886 la laïcisation complète de l'enseignement public mais, au final, il adoptera un dispositif très proche de celui mis en place par la Belgique.

Assez paradoxalement – si l'on se réfère au contexte actuel – c'est le modèle américain qui a constitué durant tout le XIXe siècle la référence incontournable pour les partisans français de la séparation des Églises et de l'État. Ainsi, la rédaction de l'article 4 de la loi du 9 décembre 1905 qui lève la contradiction entre l'appropriation par l'État des édifices religieux et l'exercice de la liberté de culte est-elle directement inspirée de la législation américaine. La diffusion de ce modèle doit beaucoup à l'ouvrage, sitôt paru (1835), sitôt classique, d'Alexis de Tocqueville, *De la démocratie en Amérique*.

« Des principales causes qui rendent la religion puissante aux États-Unis »

« Les philosophes du XVIIIe siècle expliquaient d'une façon toute simple l'affaiblissement graduel des croyances. Le zèle religieux, disaient-ils, doit s'éteindre à mesure que la liberté et les lumières augmentent. Il est fâcheux que les faits ne s'accordent point avec cette théorie.

« Il y a telle population européenne dont l'incrédulité n'est égalée que par l'abrutissement et l'ignorance, tandis qu'en Amérique on voit l'un des peuples les plus libres et les plus éclairés du monde remplir avec ardeur tous les devoirs extérieurs de la religion. [...]

« J'avais vu parmi nous l'esprit de religion et l'esprit de liberté marcher presque toujours en sens contraire. Ici, je les retrouvais intimement unis l'un à l'autre : ils régnaient ensemble sur le même sol.

« Chaque jour je sentais croître mon désir de connaître la cause de ce phénomène. [...] Tous [les Américains] attribuaient principalement à la complète séparation de l'Église et de l'État l'empire paisible que la religion exerce en leur pays. Je ne crains pas d'affirmer que, pendant mon séjour en Amérique, je n'ai pas rencontré un seul homme, prêtre ou laïque, qui ne soit tombé d'accord sur ce point.

« Ceci me conduisit à examiner plus attentivement que je ne l'avais fait jusqu'alors la position que les prêtres américains occupent dans la société politique. Je reconnus avec surprise qu'ils ne remplissent aucun emploi public. Je n'en vis pas un seul dans l'administration, et je découvris qu'ils n'étaient pas même représentés au sein des assemblées.

« La loi dans plusieurs États, leur avait fermé la carrière politique ; l'opinion dans tous les autres. »

Alexis de Tocqueville, *De la démocratie en Amérique*, volume 1, 1835.

Néanmoins, la séparation des Églises et de l'État en France et aux États-Unis ne doit pas être entendue de la même manière. En effet, la tradition protestante américaine a permis le développement d'un consensus moral et religieux « a-confessionnel » dissocié des religions organisées qui autorise que le Président prête serment sur la Bible lors de son entrée en fonction[1] – alors même que la Constitution prévoit une simple déclaration solennelle[2] – ou que la référence à Dieu soit utilisée par les représentants officiels et inscrite au cœur même de la devise nationale – « *In God we trust*[3] » –, sans que cela n'apparaisse comme une entorse au Premier amendement de la Constitution qui institue la séparation des Églises et de l'État outre-atlantique[4]

b) Un modèle unique en son genre : l'exemple de l'enseignement de la religion

La laïcité en France a ainsi tracé un chemin particulier. Une étude du ministère des affaires étrangères sur l'enseignement de la religion dans les écoles de quinze pays européens renforce l'idée d'une singularité du modèle français[5].

La France est en effet le seul parmi les pays européens étudiés à ne pas dispenser un enseignement spécifique consacré à la religion dans les établissements publics. La République Tchèque et la Hongrie, États laïques qui présentent la même spécificité que la France, réservent quand même à des ministres du culte la possibilité d'intervenir dans le cadre d'autres cours ou de dispenser un enseignement dans les locaux des écoles sur la demande des familles. Le système français qui ne traite l'étude du fait religieux que dans le cadre d'autres enseignements de l'école publique est donc unique en son genre.

La majorité des pays européens dispensent un enseignement religieux spécifique non catéchétique dans le cadre d'horaires spécialement

---

[1] George Washington, premier Président des États-Unis, initia cet usage, lequel fut repris par tous ses successeurs, sans exception.

[2] « Avant d'entrer en fonctions, [le Président] prêtera le serment ou prononcera la déclaration qui suit : « *Je jure solennellement que je remplirai fidèlement les fonctions de Président des États-Unis et que, dans toute la mesure des mes moyens, je sauvegarderai, protégerai et défendrai la Constitution des États-Unis.* » (Constitution du 17 septembre 1787, article 2, section 1 paragraphe 7).

[3] La devise est apparue pour la première fois sur les pièces de deux cents en 1864. En 1955, sur la proposition du député de Floride, M. Charles E. Bennett, l'inscription fut étendue à toute la monnaie (pièces et billets), puis, l'année suivante, le 30 juillet 1956, toujours sur la proposition du même député, le Congrès en fit la devise officielle des États-Unis. Cette devise a été contestée à de nombreuses reprises devant les tribunaux mais ceux-ci, et notamment la Cour suprême, en 1977, ont systématiquement entériné son usage.

[4] « *Le Congrès ne fera aucune loi relativement à l'établissement d'une religion ou en interdisant le libre exercice [...]* » (1er amendement à la Constitution du 17 septembre 1787).

[5] Cette étude, menée dans le cadre de la mission de M. Régis Debray sur l'enseignement du fait religieux, porte sur les pays suivants : l'Autriche, la Belgique, la Bulgarie, le Danemark, l'Espagne, la Finlande, la Grèce, la Hongrie, l'Italie, le Luxembourg, le Portugal, la République Tchèque, le Royaume-Uni, la Suisse et la Suisse (cf. tableau en annexe n° 3).

réservés à l'étude des religions. Cet enseignement est effectué par des professeurs laïques, parfois en collaboration avec des ministres du culte.

À l'exception de trois pays, l'enseignement religieux est facultatif et l'élève peut en être dispensé. En Suède, en Finlande et en Grande-Bretagne, le cours de religion est obligatoire et, pour ces derniers pays, il n'existe pas d'enseignement de substitution.

L'enseignement non catéchétique de la religion peut prendre des formes diverses selon trois pôles :

– un *pôle culturel* mettant en avant les aspects sociologiques et artistiques des différentes religions (Suède, Bulgarie) ;

– un *pôle éthique* axé sur l'enseignement moral des différentes croyances, notamment en ce qui concerne les débats de société contemporains (Italie, Danemark, Grande-Bretagne, Autriche) ;

– un *pôle identitaire*, dans les pays ayant une Église d'État et où la religion est une constituante à part entière du sentiment d'appartenance nationale (Grèce).

En outre, le fait que certains pays proposent un programme d'instruction civique tandis que d'autres mettent en place un enseignement d'éthique et d'éducation à la tolérance, comme enseignement de substitution dispensé aux élèves qui ne souhaitent pas suivre le cours de religion, est révélateur de la disparité du traitement de la question religieuse par l'école et par l'État.

L'enseignement catéchétique existe aussi au sein de l'école publique au Luxembourg – État qui reconnaît l'utilité sociale et publique des cultes catholique, juif, orthodoxe et protestant – ainsi que dans des États laïques (Belgique, Portugal), ou pratiquant une séparation de l'Église et de l'État (Espagne, Suisse). Il ne s'agit pas d'un modèle marginal. Cependant, la présence d'un tel enseignement fait débat au sein des sociétés concernées et pose un certain nombre de problèmes à l'administration scolaire, notamment concernant le contenu des programmes, le financement des cours et le choix du personnel enseignant.

Enfin, certains pays dispensent, dans le cadre de l'école publique, un enseignement spécialisé adapté aux élèves des confessions minoritaires. La légitimité de cet enseignement n'est pas remise en cause par la population, sauf dans les pays dans lesquels existe une Église d'État où la présence d'un tel enseignement fait parfois l'objet d'un débat, comme cela a été le cas au Danemark où l'école publique assure un apprentissage de la religion musulmane uniquement axé sur l'étude du Coran.

Ces différentes approches de l'enseignement de la religion à l'école sont à mettre en relation avec les différents modèles de « laïcité » adoptés par les pays européens.

2.– Une laïcité multiforme : les exemples étrangers

En préambule à ce développement, il est important de remarquer que la laïcité *lato sensu* – respect par l'État de la liberté religieuse et des droits fondamentaux de la personne – est absente dans la plupart des pays du monde. Ce principe est en effet propre aux régimes démocratiques.

a) La diversité des modèles européens

En Europe, la mise en place de la laïcité s'est effectuée suivant des logiques différentes selon les pays. Françoise Champion, chercheur, membre du groupe de sociologie des religions et de la laïcité du Centre national de la recherche scientifique (CNRS), a établi une typologie dualiste distinguant une logique de *laïcisation* et une logique de *sécularisation*. La première met en concurrence l'État et une Église perçue comme globalisante. Elle est propre aux pays de tradition catholique. Le cas français constitue l'archétype du processus de *laïcisation*. La seconde consiste en une libéralisation concomitante de la société et de l'Église et caractérise les pays protestants.

Il faut ajouter à cette distinction le cas des pays multiconfessionnels et celui des pays dans lesquels la question de l'identité religieuse est inséparable de l'identité nationale.

L'étude du mode de fonctionnement des pays correspondant à ces différentes catégories met en lumière la pluralité des formes que peut recouvrir le concept de laïcité en raison des conditions historiques de sa formation :

– Cinq pays européens ont poursuivi une démarche de *laïcisation* similaire à celle de la France, sans toutefois que la séparation des Églises et de l'État y soit opérée de manière aussi nette.

En Belgique, la Constitution du 3 novembre 1830, qui résulte d'un compromis entre catholiques et libéraux, garantit la liberté religieuse et la liberté de conscience. Elle consacre également l'indépendance des cultes vis-à-vis de l'État, ce qui n'empêche pas ce dernier de prendre en charge les traitements et pensions des ministres des cultes et des « *délégués des organisations reconnues par la loi qui offrent une assistance morale selon une conception philosophique non confessionnelle* » (article 181). La Belgique s'inscrit ainsi dans une logique des cultes reconnus. À ce jour, elle en reconnaît six : catholique, protestant, israélite, anglican (1870), islamique

(1974) ; orthodoxe (1985). En l'absence de critère établi par la Constitution, il appartient au Parlement de reconnaître chaque culte de manière discrétionnaire. De même, à leur demande, les organisations laïques sont désormais reconnues sur un pied d'égalité avec les religions.

En Espagne, la Constitution garantit la « *liberté idéologique, religieuse et de culte des individus et des communautés* » (article 16-1). Aucune confession n'a le statut de religion d'État. Néanmoins l'Église catholique bénéficie d'une position spéciale en tant que partie prenante de l'identité espagnole. Ainsi, l'article 16 alinéa 3 de la Constitution dispose que « *les pouvoirs publics tiennent compte des croyances religieuses de la société espagnole et entretiennent les relations de coopération nécessaires avec l'Église catholique et les autres confessions* ». La Constitution reconnaît également aux parents un droit à l'éducation religieuse de leurs enfants en âge d'être scolarisés, dans des institutions publiques ou privées, selon leurs convictions.

En Italie, la situation est plus complexe. En 1929, les accords du Latran, signés entre Mussolini et le pape, mettaient fin à la situation de « prisonnier volontaire » du souverain pontife en contrepartie de quoi le catholicisme devenait religion d'État. Tout en reconnaissant ces accords, la Constitution de 1948 instituait la liberté religieuse et l'indépendance de l'État vis-à-vis de l'Église catholique. En 1971, la Cour constitutionnelle donna la priorité aux normes constitutionnelles sur les normes concordataires. Depuis 1984, la situation a été clarifiée aux termes d'un nouvel accord entre l'État italien et le Vatican dans la mesure où la Constitution prévoit que « *les modifications des pactes* [du Latran], *acceptées par les deux parties, n'exigent pas de procédure de révision constitutionnelle* » (article 7). Les rapports de l'État italien et des confessions religieuses sont « *fixés par la loi sur la base d'ententes avec leurs représentants respectifs* » (article 8).

La République Tchèque s'est également engagée sur une voie similaire au sortir de l'ère communiste. La Charte des droits de l'homme et des libertés fondamentales, intégrée au bloc de constitutionnalité tchèque, assure une séparation stricte des Églises et de l'État. Mais, au cours des dernières années, le gouvernement a tenté de faire adopter une loi permettant à l'État de financer les vingt et une Églises principales du pays.

En Bulgarie, si la Constitution entérine le principe de la séparation des institutions religieuses et de l'État, elle reconnaît dans le même temps la valeur « traditionnelle » du culte orthodoxe. C'est ainsi que la hiérarchie ecclésiastique orthodoxe prend part à tous les événements de portée nationale. Cette ambiguïté est accrue du fait du maintien de l'application d'une loi de 1949 sur la liberté des cultes qui donne au conseil des ministres des pouvoirs étendus en matière de direction des cultes.

– La Grande-Bretagne et le Danemark incarnent la logique de *sécularisation*, propre aux pays protestants.

En Grande-Bretagne, l'Église anglicane est sinon d'État, du moins « établie ». La Reine est le gouverneur suprême de l'Église d'Angleterre. Elle nomme les archevêques et les évêques sur proposition du Premier ministre et vingt-six d'entre eux siègent à la Chambre des Lords. La participation de représentants religieux au débat législatif a été remise en question en 1999 par le rapport Wakeham sur la Chambre des Lords. Celui-ci ne remettait pas en cause le principe même d'un débat nourri de préoccupations spirituelles mais suggérait que les sources de ces sensibilités soient variées et représentatives de la société britannique actuelle. Néanmoins, la liberté religieuse a été étendue à l'ensemble des confessions dès le milieu du XIXᵉ siècle. De plus, la loi sur le blasphème qui, à l'origine, concernait uniquement l'Église anglicane a été étendue à toutes les autres religions, à l'exception de l'islam.

Au Danemark, la séparation de l'Église et de l'État n'existe pas. La Constitution de 1953 dispose en effet que « *l'Église évangélique luthérienne est l'Église nationale danoise et jouit, comme telle, du soutien de l'État* » (article 4). Celle-ci est en fait considérée comme l'un des services publics de l'État. Les membres du clergé ont un statut de fonctionnaires et l'état civil est tenu par l'Église luthérienne. Les ressources de l'Église sont assurées par un impôt spécifique dont les contribuables peuvent être dispensés en effectuant une déclaration de non appartenance au culte d'État. La liberté de religion est néanmoins affirmée par la Constitution (article 67). À ce titre, le Danemark reconnaît l'existence de onze autres cultes, lesquels bénéficient notamment de certains avantages fiscaux.

– Le modèle multiconfessionnel se rencontre dans les pays, tels que les Pays-Bas ou l'Allemagne, où la présence de plusieurs confessions a conduit à l'adoption d'un modèle spécifique, sans qu'aucune religion ne soit véritablement dominante.

Aux Pays-Bas, le calvinisme a constitué le ciment de l'unité nationale lors de la formation des Provinces-Unies, en réaction à la tutelle de l'Espagne catholique. Au XVIIᵉ puis au XVIIIᵉ siècle, la multiplicité des appartenances crée les conditions d'un certain pluralisme avant, qu'au siècle suivant, la question scolaire ne réactive la division. Désormais, les Pays-Bas reconnaissent la liberté de religion dans toute son étendue, à tel point que le communautarisme est devenu un mode normal d'organisation de la société.

En Allemagne, le Préambule de la Loi fondamentale se réfère explicitement à Dieu. Les Églises jouissent d'une totale autonomie en matière d'organisation selon des statuts faisant l'objet d'accords soit avec l'État fédéral, soit avec les *Länder*. En outre, 10 % de l'impôt sur le revenu leur sont attribués. De ce fait, elles s'intègrent complètement dans la vie publique du pays et disposent d'une grande influence.

– En Grèce et en Irlande, la religion a constitué le ciment de l'identité nationale face aux prétentions impérialistes d'un pays voisin. Les Grecs se sont unis derrière la religion orthodoxe pour combattre la Turquie musulmane et le catholicisme a rassemblé les Irlandais face à la Grande-Bretagne protestante.

Ainsi, en *Grèce*, l'Église orthodoxe autocéphale occupe un statut de religion d'État – bien que la Constitution ne lui reconnaisse qu'une position « dominante » (article 3) – en raison de l'identification faite par une majorité de Grecs entre l'orthodoxie et la nation grecque. Les membres du clergé sont fonctionnaires et les prières orthodoxes sont obligatoires dans certaines institutions (armées et école notamment). Pourtant la Constitution interdit tout prosélytisme (article 13-2) mais cette disposition ne semble *de facto* pas s'imposer au culte majoritaire. Enfin, dernière ambiguïté, la Constitution reconnaît la liberté de religion entendue comme la possibilité de pratiquer le culte de son choix sans entrave (article 13) mais la loi réserve au clergé orthodoxe l'exercice d'un droit de veto sur toute construction de lieu de culte.

En Irlande, la disposition établissant la « position spéciale » de l'Église catholique comme « *gardienne de la foi professée par la grande majorité des citoyens* » a été supprimée de la Constitution en 1972. Cependant celle-ci dispose encore que la famille, le contrôle de l'éducation par les parents et la propriété sont l'objet d'une protection fondée sur la « loi naturelle ». De ce fait, l'Église catholique est toujours omniprésente en matière de morale familiale et sexuelle, ce qui explique que le divorce et l'avortement soient toujours prohibés en Irlande.

Ce rapide tour d'horizon des différentes formes de « laïcité » dans les pays européens démontre la singularité du modèle français en ce qu'il est le seul à imposer aussi strictement la séparation des Églises et de l'État.

b) L'influence du modèle sur l'attitude adoptée face à la problématique du port des signes religieux à l'école

La plupart des pays européens sont confrontés à cette problématique. Mais la multiplicité des modèles de laïcité explique que la question du port des signes religieux à l'école ne soit pas appréhendée par tous selon les mêmes modalités, comme en témoigne une étude du ministère des affaires étrangères effectuée à la demande de la mission[1].

---

[1] Cf. tableau en annexe 3.

Les pays dont la société est structurée sur le mode du multiculturalisme, tels que les Pays-Bas ou le Royaume-Uni, autorisent, par principe, le port des signes religieux à l'école. En effet, le communautarisme n'est pas conçu comme un danger mais comme le mode normal d'organisation de la société.

Dans les pays disposant d'une identité religieuse forte conçue comme indissociable de l'État, telle que la Grèce, la manifestation de l'appartenance à une religion autre que la religion dominante s'apparente à du prosélytisme.

En Italie ou en Autriche, pays dans lesquels une religion bénéficie d'une position prééminente, sans que toutefois celle-ci ne prétende à un pouvoir globalisant, la société tolère le port des signes manifestant l'appartenance à une religion minoritaire dans la mesure où, par ailleurs, la population est habituée à être confrontée à l'expression de la foi religieuse du culte dominant.

De fait, la singularité du modèle français ôte beaucoup de sa pertinence à toute comparaison. Unique pays européen à ne pas dispenser un enseignement spécifique consacré à la religion *lato sensu*, unique pays à avoir mené aussi loin la logique de séparation de l'Église et de l'État, il n'est pas étonnant de constater qu'aucun pays de l'Union européenne n'a précédé la France en matière de législation sur le port, par les élèves, des signes religieux à l'école.

Toutefois, dans certains pays européens, cette question constitue un débat de société, jusqu'ici arbitré par la jurisprudence qui tente de concilier liberté religieuse et neutralité du service public.

Le cas de l'Allemagne, pays multiconfessionnel dans son mode d'organisation des relations entre les Églises et l'État, est intéressant. Confrontée à la question de savoir si le port du foulard islamique par une enseignante était compatible avec la neutralité de l'école, la Cour constitutionnelle fédérale de Karlsruhe, dans une décision du 24 septembre 2003, a cassé le jugement de la Cour fédérale administrative qui maintenait l'interdiction d'enseigner faite à cette enseignante par le *Land* de Bade-Wurtemberg. Toutefois, pour casser le jugement d'appel, la Cour ne s'est pas prononcée sur le fond et n'a relevé, pour motiver sa décision, que l'insuffisance de base légale. Elle a renvoyé aux *Länder*, détenteurs de la compétence législative en matière d'éducation, l'opportunité d'une telle interdiction. À bien des égards, cette possibilité peut même se lire comme une invitation à le faire puisque, dans sa décision, la Cour écrit : « *Les mutations sociales qui s'accompagnent d'une plus grande pluralité religieuse peuvent amener le législateur à redéfinir le cadre licite de l'expression du phénomène religieux à l'école.* »

Enfin, ce parcours de la laïcité serait incomplet si n'était pas mentionné le cas de la Turquie. Ce pays, de confession musulmane prédominante, membre du Conseil de l'Europe et candidat à l'intégration dans l'Union européenne, est en effet le seul[1] à interdire expressément, par la loi, le port, par les élèves, d'un signe religieux, en l'occurrence le voile, dans toute l'enceinte de l'école sous peine, pour les contrevenants, d'être exclus de l'établissement[2]. La législation est même plus restrictive encore, puisqu'il subsiste de l'héritage kémaliste de laïcisation de la société turque l'interdiction du port du voile hors des lieux de culte et des cérémonies religieuses (loi du 13 décembre 1934), cette interdiction ayant été entendue comme devant s'étendre à l'enceinte des lycées confessionnels (circulaire du 28 mars 1997). Cette situation est le résultat, comme en France, des combats laïques pour l'avènement de la Turquie moderne.

B.– ... À L'ÉPREUVE DE NOUVEAUX ENJEUX

Confronté au processus d'intégration européenne et à un contexte international de plus en plus marqué par la présence du religieux, le modèle français de laïcité est en proie, aujourd'hui, à de nouvelles tensions.

1.– Le débat autour de la référence à la religion dans le projet de traité instituant une Constitution européenne

La multiplicité du mode de relations entre l'État et les Églises au sein des pays membres de l'Union européenne a rejailli lors des discussions du projet instituant une Constitution européenne. Le point central du débat tournait autour de la question suivante : le projet de Constitution européenne doit-il faire référence à la religion ?

Plusieurs pays, parmi lesquels figuraient principalement les pays du sud de l'Europe et les pays candidats, notamment la Pologne, ont défendu une vision consistant à rappeler dans le texte constitutionnel les fondements chrétiens de la civilisation occidentale exprimant ainsi un point de vue opposé à celui de la France qui prônait une laïcité vigilante.

Ce débat n'est pas nouveau. Lors de la précédente convention chargée d'élaborer la charte des droits fondamentaux de l'Union européenne – proclamée solennellement lors du Conseil européen de Nice en décembre 2000 – les autorités françaises avaient indiqué qu'elles refuseraient de signer un texte dans lequel figurerait explicitement la référence à l'héritage religieux de l'Europe estimant que cette mention était inconciliable avec le

---

[1] Avec la Tunisie.
[2] Ce dispositif juridique est très strictement appliqué, hormis dans certaines régions très fortement islamisées où certains chefs d'établissement peuvent « fermer les yeux ».

principe de laïcité reconnu par la Constitution française. Un compromis avait finalement été trouvé en remplaçant l'expression « héritage religieux » par celle, jugée plus neutre, de « patrimoine spirituel ».

a) Les termes du débat au sein de la Convention

Le débat a ressurgi, à plusieurs reprises, lors des discussions au sein de la Convention sur l'avenir de l'Europe chargée de proposer une Constitution pour l'Union européenne instituée par le Conseil européen de Laeken en décembre 2001.

Les points de vue qui se sont exprimés peuvent être regroupés en trois catégories :

– les défenseurs d'une référence aux valeurs chrétiennes de l'Europe ;

– les défenseurs d'une référence à un héritage religieux ;

– les défenseurs d'une conception stricte du principe de laïcité.

Très rapidement, il est apparu qu'un consensus ne pourrait être trouvé en faveur de la mention de l'héritage chrétien de l'Europe. En effet, cette position, défendue notamment par la Pologne et la Lituanie, tous deux candidats à l'Union, était trop limitative eu égard à la diversité des pratiques religieuses en Europe et pouvait être perçue comme une initiative dirigée contre l'intégration de la Turquie dans l'Union européenne. À cet égard, M. Romano Prodi, président de la Commission européenne, avait rappelé, le 27 décembre 2002, que l'Union européenne n'avait pas vocation à devenir un « club chrétien » et que la Turquie pourrait la rejoindre, dès lors qu'elle se conformerait à tous les critères d'adhésion.

Par contre, la référence à l'héritage religieux de l'Europe a suscité de vives polémiques.

Une contribution de M. Joachim Wuermeling, député européen allemand, cosignée par 25 conventionnels – soit près du quart des membres de la Convention[1] – a été déposée le 31 janvier 2003 pour demander une référence explicite à Dieu. Par ailleurs, le Parti populaire européen (PPE), principal groupe politique au Parlement européen[2], a lui aussi proposé une référence à Dieu et à « l'héritage religieux » de l'Union, le président de ce groupe soulignant que la contribution du christianisme à l'histoire de l'Europe est « un fait, non une opinion ».

---

[1] La Convention était composée de 105 membres.
[2] Le PPE dispose de 232 sièges sur un total de 624.

A contrario, plusieurs propositions ont défendu une conception stricte du principe de laïcité.

Trois conventionnels espagnols ont déposé, le 26 février 2003, une résolution cosignée par 163 membres du Parlement européen plaidant « *pour le respect des principes de liberté religieuse et de laïcité de l'État dans la future Constitution européenne* ». Dans cet appel, les signataires affirmaient que « *les principes de laïcité de l'État et des Églises, d'égalité et de non discrimination entre les citoyens, et par conséquent entre les différentes religions et Églises, sont à la base de la démocratie et de l'État de droit* » et demandaient « *qu'aucune référence directe ou indirecte à une religion ou croyance spécifique ne soit incluse dans la future Constitution européenne* ».

Deux représentants français ont également fait valoir ce point de vue. M. Jacques Floch, député et membre suppléant de la Convention, s'est opposé à toute référence religieuse et s'est déclaré favorable à une Constitution « *qui reconnaisse la laïcité* ». M. Hubert Haenel, représentant du Sénat à la Convention, a déposé une contribution plus consensuelle, considérant « *qu'admettre, dans son pluralisme, la dimension religieuse des héritages européens pourrait constituer un des aspects d'un modèle européen de laïcité fait de séparation du politique et du religieux, de garantie de la liberté de conscience, mais aussi de reconnaissance du fait religieux dans l'esprit de favoriser le dialogue, le respect mutuel, l'effort de reconnaissance réciproque* ».

b) Le dispositif de compromis retenu par la Convention

C'est finalement cette solution de compromis qui a prévalu dans le préambule du projet de Constitution présenté par M. Valéry Giscard d'Estaing, président de la Convention, au Conseil européen réuni à Thessalonique le 20 juin 2003. Le texte fait référence aux « *héritages culturels, religieux et humanistes de l'Europe, dont les valeurs, toujours présentes dans son patrimoine, ont ancré dans la vie de la société le rôle central de la personne humaine et de ses droits inviolables et inaliénables, ainsi que le respect du droit* ».

Dans un premier temps, le préambule mentionnait « *les civilisations helléniques et romaines et les courants philosophiques des Lumières* », se contentant d'une allusion à la religion, et plus particulièrement au christianisme, à travers l'expression de « *l'élan spirituel qui a parcouru l'Europe* », sur le modèle de la rédaction de la Charte des droits fondamentaux de l'Union dont le texte est intégré à la Constitution.

Par ailleurs, l'article I-2 sur les « valeurs de l'Union » ne fait aucunement référence à la religion malgré de nombreux amendements déposés en ce sens. En effet, le Présidium n'a pas souhaité modifier son texte, dès lors que les valeurs religieuses ne sont pas identiquement partagées par l'ensemble des pays européens et que le non-respect par un État membre des valeurs mentionnées à cet article – parmi lesquelles figurent notamment le respect de la dignité humaine et des droits de l'homme – peut constituer un motif de sanction pouvant mener à l'exclusion de l'Union.

Enfin, l'article I-51 sur le « statut des Églises et des organisations non confessionnelles » dispose que l'Union « *respecte et ne préjuge pas du statut dont bénéficient, en vertu du droit national, les Églises et les associations ou communautés religieuses dans les États membres* ». En « *reconnaissant leur identité et leur contribution spécifique* », celle-ci « *maintient un dialogue ouvert, transparent et régulier avec ces Églises et organisations* ».

La rédaction finalement retenue par la Convention, aussi bien dans le préambule que dans le dispositif du projet de Constitution, constitue donc une voie moyenne.

Néanmoins, on notera la préférence accordée, dans le texte final, au terme « religieux » plutôt qu'au terme « spirituel », comme cela avait été le cas dans la Charte des droits fondamentaux. De plus, le fait que les amendements demandant la suppression de cette mention soient beaucoup moins nombreux que ceux déposés en faveur d'une référence explicite à Dieu, au christianisme ou aux valeurs judéo-chrétiennes, éclaire les tensions qui pèsent sur le modèle français dans le contexte de l'intégration européenne et la difficulté rencontrée par notre pays pour faire valoir son point de vue. La problématique est d'autant plus sensible que ces revendications ont été, dans la plupart des cas, formulées par des pays candidats à l'entrée dans l'Union européenne.

La réaffirmation de la laïcité est pourtant nécessaire dans une période où, sinon la religion, du moins le prétexte de celle-ci, tend à devenir un des facteurs dominants de l'instabilité du monde.

2.– La place croissante du phénomène religieux sur la scène internationale

Le modèle français de laïcité est interpellé par des tensions issues d'un contexte international dont les effets s'exportent jusque dans notre pays, du fait de l'intensification et de la globalisation des échanges.

a) Le phénomène religieux comme enjeu politique

La révolution iranienne de 1979, conduite par l'imam Khomeiny, et l'installation, dans ce pays, d'un régime à fondement théocratique, a fait rejaillir de façon particulièrement virulente sur la scène internationale la problématique du lien entre le politique et le religieux. Plus que d'autres conflits locaux, comme ceux de l'Irlande du Nord ou des Balkans, elle a constitué le point de départ d'un mouvement intégriste qui s'est emparé de la religion comme un moyen et un prétexte pour s'approprier le pouvoir politique.

Cette confusion, à l'exact opposé de l'ambition laïque de distinction des pouvoirs temporel et spirituel, a conduit au développement d'un fanatisme dont les attentats du 11 septembre 2001 contre les tours jumelles du *World Trade Center* de New York sont, en quelque sorte, le tragique aboutissement. Plus grave encore, la confusion introduite par ceux-là même qui, pour des motifs purement politiques, se proclament les défenseurs d'un islam dont ils dévoient les principes de tolérance, a conduit à introduire, dans l'esprit de nombreux citoyens, une confusion entre islam et fondamentalisme, entre musulmans et terroristes. Le discours prononcé par le président des États-Unis, M. George W. Bush, le 14 septembre 2001, en réponse à ces « attentats monstrueux », invoquant une « bataille du bien contre le mal » – plutôt qu'une lutte de la justice contre le crime – a réactivé le spectre d'un « choc des civilisations », selon la théorie développée par Samuel P. Huntington, professeur à l'université de Harvard.

b) La transposition des conflits internationaux à l'école

Dans ce contexte, la confusion entre la manifestation intime et sereine de la foi, par le port d'un signe religieux et l'expression d'un choix idéologique et politique – lequel n'a assurément pas sa place dans l'espace scolaire, comme en est convenu, à l'unanimité, l'ensemble des membres de la mission[1] – s'est trouvée renforcée chez des enfants et des adolescents en construction. Pour ceux-ci, la distinction entre les deux espaces est d'autant plus floue que le discours médiatique – parfois schématique – n'aide pas à faire la part des choses.

Cette transposition des événements du monde dans notre pays tend pourtant à s'étendre et l'espace scolaire est devenu le lieu d'un affrontement identitaire politico-religieux. M. Yves Bertrand, directeur central des Renseignements généraux, a remis aux membres de la mission, lors de son

---

[1] Dans les années 30, plusieurs circulaires avaient interdit le port d'insignes politiques (circulaire du 12 avril 1935 relative à la propagande politique, circulaire du 1er juillet 1936 relative aux ports d'insignes, circulaire du 31 décembre 1936 relative à la répression de l'agitation politique parmi les élèves).

audition le 9 juillet 2003, un rapport faisant état d'une nette progression des actes antisémites commis dans le cadre scolaire depuis le 1ᵉʳ janvier 2002 : 77 actes antisémites ont été recensés en 2002 contre 29 en 2001 et 42 actes de même nature ont été comptabilisés pour le seul premier semestre de l'année 2003. L'actualité vient encore de donner la preuve de cette violence avec l'incendie criminel d'un établissement secondaire de confession juive à Gagny (Seine-Saint-Denis).

Mme Thérèse Duplaix[1], proviseur du lycée Turgot à Paris, déclarait devant la mission que son établissement vivait « *au rythme des événements du Moyen-Orient* » exprimant un constat partagé par plusieurs de ses collègues. À la suite de la recrudescence des attentats suicides en Israël, en réponse à l'offensive de *Tsahal* en Cisjordanie, des élèves de confession juives avaient ainsi placardé « *des affiches concernant un appel aux étudiants juifs* » dans son établissement.

La guerre en Iraq et le conflit israélo-palestinien avivent les tensions et les risques d'affrontement entre de jeunes juifs et de jeunes musulmans qui, par mimétisme, s'identifient respectivement à la cause d'Israël et à la cause palestinienne en arborant une kippa ou un keffieh.

Plus que jamais, la vigilance des autorités pour le respect strict du principe de la laïcité doit donc être accrue. Les événements du monde ne doivent pas être source de division de la communauté nationale.

C.- UN MODÈLE À CONFORTER

Face à ces menaces, votre Président estime nécessaire de réaffirmer le principe de laïcité comme projet, à la fois politique et social, d'intégration des individus dans une communauté nationale une et indivisible, à l'inverse d'une conception de la société dans laquelle se développeraient, côte à côte, des communautés distinctes. La reconnaissance de la diversité, au fondement même du « pacte laïque », ne doit pas se transformer en une revendication de la différence mais doit conduire à enrichir la communauté nationale dans l'accomplissement d'un projet commun.

À cet égard, le port des signes d'appartenance religieuse ou politique dans l'enceinte scolaire est un risque dans la mesure où, en substituant au principe traditionnel du « vivre ensemble » celui du « vivre côte à côte », il constitue un facteur de division dans un lieu d'apprentissage du lien social.

---

[1] Table ronde du 1ᵉʳ juillet 2003

1.– Un modèle en crise ?

Deux éléments majeurs ont contribué ces dernières années à rendre flou et peu lisible le principe de laïcité : d'une part, les difficultés à appréhender et à intégrer dans le « pacte laïque » une religion qui n'en faisait initialement pas partie, d'autre part, l'évolution même de la société qui bouleverse le projet laïque par le développement de l'individualisme et la revendication du droit à la différence.

a) L'adhésion de l'islam au « pacte laïque »

Aujourd'hui, deuxième religion de France derrière le catholicisme, l'islam n'a pas, pour des raisons historiques évidentes, été associé à la définition du « pacte laïque » de 1905. Cette situation a pu conduire certains citoyens de confession musulmane à se sentir exclus de la République.

La crise économique et sociale des années 80 a fortement touché ces populations et contribué un peu plus à leur donner l'impression que le projet républicain d'intégration était une fiction vide de sens concret.

La question des lieux de culte a également nourri l'incompréhension. En vertu de la loi du 9 décembre 1905, on a vu que l'État ne salarie, ni ne subventionne aucun culte mais qu'il peut, ainsi que les collectivités locales, subvenir à l'entretien des lieux de culte laissés à la disposition des Églises. Tandis que l'État contribuait à l'entretien de nombreuses églises, l'islam s'est trouvé dans l'obligation de financer, par lui-même, ses propres mosquées, en raison de son implantation tardive. Ce qui a pu être vécu, par certains musulmans, comme une inégalité ne résulte que d'une situation de fait qui ne doit pas remettre en cause l'application d'une règle commune à toutes les confessions.

Cette préoccupation rejoint d'ailleurs le souhait unanime des représentants de la confession musulmane auditionnés par la mission. Tous, sans exception, ont déclaré leur attachement aux principes issus de la loi de 1905 et leur volonté de respecter le cadre de droit ainsi défini.

En permettant d'offrir un interlocuteur privilégié à l'État, la création récente du Conseil français du culte musulman (CFCM) constitue indéniablement une avancée dans la compréhension mutuelle de l'État et de l'islam. Mais pour que cette compréhension se fasse en bonne intelligence, encore faut-il que les règles posées soient claires et intelligibles.

Or, les membres de la mission ont pu constater que la définition de la laïcité manque actuellement de lisibilité au point qu'en matière de liberté d'expression religieuse à l'école la ligne de partage entre le licite et l'illicite est devenue floue.

b) La tentation d'une redéfinition de la laïcité à la française

Toutes les personnes auditionnées par la mission, ont affirmé leur attachement aux principes énoncés par la loi de 1905. Pourtant, on assiste à une remise en cause profonde du principe de laïcité, tel qu'il a été conçu en France depuis ses origines. La neutralité du service public est contestée par ceux qui réclament la possibilité de manifester leur appartenance à une religion dans le cadre du service ou par ceux qui souhaitent, par exemple, des horaires différenciés pour les hommes et pour les femmes dans les piscines municipales.

Désormais, la religion s'est privatisée et la société civile s'est dissociée de l'État. La priorité n'est plus l'exercice de la souveraineté des citoyens pour la réalisation de l'intérêt commun mais la garantie des droits de l'individu correspondant à une « troisième époque du principe de laïcité ». La foi dans l'expérience collective s'est tarie au profit d'une légitimation excessive de l'individualisme qui rend plus difficile la coexistence des individus et la cohésion sociale.

La voie est ouverte vers ce que certains appellent une « nouvelle laïcité » dans laquelle l'affirmation du pluralisme prendrait le pas sur la neutralité de l'État. La laïcité n'est plus conçue comme le principe émancipateur par excellence. La logique du droit à la différence a pris le pas sur celle de l'intérêt général, auparavant conçues comme complémentaires. L'affirmation d'une identité singulière est mise en avant par le port de signes religieux qui départagent plutôt qu'ils n'unissent. L'individu souhaite être admis dans l'espace public comme représentant de son identité propre et non plus comme citoyen dépouillé de tout « marquage ».

La réflexion de M. Thomas Milcent[1], dit « docteur Abdallah », auteur d'un ouvrage controversé, *Le Foulard islamique et la République française : mode d'emploi*[2], lors de son audition par la mission, se présentant, moins comme un laïque, que comme un « *militant des droits de l'homme* » est sur ce point représentative d'une certaine dérive.

Cette situation est plus proche de la *sécularisation* propre aux pays protestants dont on sait qu'elle peut mener au communautarisme. Or, la laïcité « à la française » est l'application d'une règle commune, condition du « vivre ensemble » et de la cohésion de l'édifice républicain.

---

[1] Audition du 1er juillet 2003
[2] Sorte de vade-mecum à l'adresse des jeunes filles portant le voile pour les aider à combattre les décisions de l'administration qui leur seraient défavorables.

C'est pourquoi, la rupture de l'équilibre issu de la loi de 1905, actuellement en cours, laquelle est partie intégrante du pacte social français, ébranlerait l'édifice construit au cours des deux siècles écoulés.

Comme le rappelait le Président de la République à Valenciennes le 21 octobre 2003 : « *la laïcité n'est pas négociable* ».

2.– Réaffirmer le projet laïque dans son idéal d'intégration

La crise que traverse aujourd'hui la laïcité ne doit pas fragiliser le modèle républicain.

Ce qui est en cause est moins la laïcité dans son principe que la difficulté qu'elle rencontre à s'affirmer comme élément essentiel de l'intégration républicaine.

Conformément à notre tradition, l'espace scolaire doit être le lieu privilégié de cette réaffirmation. Lieu de l'apprentissage de la vie en commun, l'école enseigne à la fois les valeurs universelles et l'esprit critique. Si elle encourage la diversité, elle ne peut accepter la division de la communauté scolaire, source d'affrontements et de repli identitaire dont le port des signes d'appartenance religieuse et politique est la manifestation.

C'est sur la base de cette conception et convaincue du rôle déterminant de l'école dans la sauvegarde du principe de laïcité « à la française » que la mission a conduit ses travaux sur la question spécifique du port des signes religieux à l'école, même si les auditions qu'elle a menées lui ont rapidement démontré que le problème, à la fois dans ses causes et dans ses manifestations, dépasse largement le strict périmètre de l'institution scolaire.

DEUXIÈME PARTIE : LES MANIFESTATIONS D'APPARTENANCE RELIGIEUSE OU POLITIQUE RÉVÈLENT LES DIFFICULTÉS DE L'ÉCOLE DANS SA MISSION INTÉGRATRICE

La grande majorité des témoignages entendus par la mission, et notamment ceux des acteurs les plus proches des réalités de l'école, constate que la crise actuelle sur le port de signes religieux reflète la difficulté de l'institution scolaire à définir et à adapter ses missions aux nouvelles générations d'élèves.

On constate une forte attente sur ce thème, comme l'a indiqué par exemple M. Patrick Gonthier[1], secrétaire général de l'UNSA-Éducation en soulignant que son syndicat : « *se félicite de la mise en place de cette mission sur la question des signes religieux à l'école avec tous les partenaires directement concernés. Depuis plus de quatorze années, cette question de société n'a pu trouver de réponses satisfaisantes et durables pour les usagers et les agents du service public de l'Éducation* ».

Dans une société caractérisée par une grande diversité culturelle et religieuse, il est essentiel, pour garantir la cohésion sociale, d'assurer à chaque membre le droit à une éducation indépendante des dogmes et des intérêts particuliers. La mission a été rapidement convaincue que le principe de laïcité dont l'élément fondamental est la neutralité face à toutes les croyances et toutes les religions, constitue l'instrument nécessaire pour atteindre cet objectif. Face à une société civile pluraliste et diversifiée, il faut un principe d'unité.

Mlle Barbara Lefebvre[2], enseignante agrégée d'histoire-géographie, coauteur de l'ouvrage « *Les territoires perdus de la République* », a formulé devant la mission une définition de la laïcité scolaire assez convaincante en disant que c'est le moyen le plus efficace trouvé par la République de faire advenir dans un espace donné – l'école – un apaisement souvent absent des espaces privés.

C'est à l'école que se forgent la conscience commune et le sentiment d'appartenance à l'ensemble de la collectivité nationale. Mais est-ce bien encore le cas ?

L'irruption des manifestations d'appartenance religieuse ou communautaire et la perte de sens du rôle fondateur de l'école dans l'attachement à la démocratie et à la citoyenneté, ne risquent-elles pas d'ébranler le lien entre l'école et les valeurs humanistes de la République ?

---

[1] Table ronde du 30 septembre 2003
[2] Table ronde du 29 octobre 2003

Une autre question – liée – est posée à travers les affaires de signes religieux et de revendications identitaires à l'école : l'Éducation nationale est-elle encore un outil de promotion sociale et d'intégration ?

I.– L'ÉCOLE COMME LIEU D'APPRENTISSAGE DU « VIVRE ENSEMBLE » EST EN PERTE DE VITESSE

Comme l'a mentionné, M. Gérard Aschieri[1] au nom de la Fédération syndicale unitaire (FSU), le problème de la laïcité renvoie, aujourd'hui, à des questions traditionnelles et à des questions nouvelles. Les problèmes traditionnels, qui ressurgissent dans le cadre du débat sur le projet de Constitution européenne, tiennent à la place des religions et des Églises dans la société et à l'école. La dimension nouvelle de la problématique de la laïcité, selon ce responsable syndical, tient au rapport qu'entretient l'école à « la marchandisation », c'est-à-dire à « *la place des marques, du commerce et de tout ce qui peut se traduire par l'introduction d'intérêts privés dans le système éducatif et mettre en cause la laïcité en tant que formation de l'esprit critique et en tant qu'élément central de la neutralité* ».

Ainsi que l'a fait observer M. Jean-Louis Biot[1], secrétaire national du syndicat SE-UNSA, « *au fil du temps, la référence à la laïcité de la société française s'est estompée, devenant plus discrète, voire complètement ignorée. Inconsciemment, sans doute, nous avons pensé collectivement qu'elle imprégnait naturellement tous les citoyens de notre pays. C'est une erreur et les débats actuels le démontrent. C'est ce défi qui paraît devoir être relevé. La classe politique doit prendre ses responsabilités et s'engager, sans arrière-pensées, dans cette reconquête collective qui exigera beaucoup de temps* ».

Dans l'histoire, comme dans la culture française, l'idéal de la laïcité est associé à l'idéal de l'école publique émancipatrice et pourvoyeuse d'égalité des chances. L'universalité des savoirs transmis à l'école a pour corollaire l'universalité des élèves accueillis et l'effacement de leur appartenance d'origine.

Les membres de la mission considèrent que cet idéal doit s'enraciner dans la vie scolaire au quotidien et non pas rester inscrit au fronton des écoles. Cela nécessite une vision de l'école comme lieu d'apprentissage de la citoyenneté et pas seulement comme outil de distribution de savoirs que chacun pourrait, de surcroît, sélectionner en fonction de ses propres aspirations.

---

[1] Table ronde du 30 septembre 2003

A.– DES BRÈCHES IMPORTANTES S'OUVRENT DANS LE RESPECT DE LA LAÏCITÉ À L'ÉCOLE

La mission s'est heurtée à une réelle difficulté concernant l'évaluation de l'ampleur du phénomène du port de signes religieux à l'école et notamment du port du « voile ». Si le phénomène est difficilement quantifiable, la perception que l'on en a est également certainement déformée par le retentissement, souvent disproportionné, donné par les médias à chaque conflit.

Par ailleurs, les brèches dans les valeurs de la laïcité à l'école interviennent aussi sous des formes beaucoup moins spectaculaires que le port des foulards islamiques. Selon M. Jean-Paul de Gaudemar[1], directeur de l'enseignement scolaire, l'effritement de la laïcité résulte d'une plus grande place faite à la reconnaissance institutionnelle des comportements religieux. Par exemple une grande tolérance s'est installée concernant les pratiques liées aux fêtes religieuses juives et au ramadan. Paradoxalement cet effritement s'explique également par la difficulté à intégrer le fait religieux dans les enseignements eux-mêmes, ce qui est à l'origine de bien des lacunes et des incompréhensions.

La mission a ainsi constaté que la remise en cause des règles de la laïcité, en milieu scolaire peut prendre des formes variées. Beaucoup de témoins ont cité des revendications de type alimentaire ou concernant des locaux de cantine séparés pour les musulmans. L'absentéisme les jours de fêtes religieuses, le refus d'aller à la piscine ou, encore plus grave, le refus des élèves de passer devant un examinateur du sexe opposé, sont des faits qui semblent petit à petit se multiplier.

1.– Des réalités qui semblent bien éloignées des constats officiels qui se voudraient rassurants

Il n'existe aucun chiffrage global concernant le phénomène du port des signes religieux à l'école. Les seuls chiffres disponibles concernent le foulard islamique mais ils ne sont guère fiables, en l'absence de critères communs d'évaluation et de consignes générales

M. Daniel Robin[2], de la FSU, a attiré l'attention de la mission sur le fait qu'il est très difficile d'évaluer précisément le nombre de jeunes filles qui portent aujourd'hui le voile dans les collèges et les lycées. Il s'est déclaré étonné d'apprendre que certaines d'entre elles fréquentent des établissements dont il ne soupçonnait pas qu'ils puissent être confrontés au

---

[1] Audition du 25 juin 2003
[2] Table ronde du 30 septembre 2003

problème. Selon lui, l'une des explications réside dans le fait que « *certains collègues ont accepté de transiger, par exemple, sur la taille du foulard ou savent pertinemment que toute publicité autour de cette question risque, pour des motifs passionnels, de déclencher une crise là où ils sont parvenus, peu ou prou, à l'éviter* ».

Ces réactions expliquent probablement la perception bien différente qu'ont de ce problème, d'un côté la hiérarchie administrative et de l'autre, ceux qui sont au contact des élèves.

a) Des constats officiels qui se voudraient rassurants...

Tous les problèmes locaux ne remontent pas jusqu'au ministère, malgré la mise en place du logiciel SIGMA qui devrait permettre de recenser tous les incidents qui surviennent dans les établissements. Le ministre de la jeunesse, de l'Éducation nationale et de la recherche, M. Luc Ferry[1] a indiqué à la mission qu'en 2002 les affaires de foulards ont donné lieu à 10 contentieux, une centaine de médiations et que l'on peut estimer le nombre voiles à environ 1 500 dans les écoles.

Ces chiffres ont été globalement confirmés par M. Yves Bertrand, directeur central des renseignements généraux et par le ministre de l'intérieur M. Nicolas Sarkozy[2]. Ce dernier a évoqué devant la mission, 1 256 cas de jeunes filles qui se sont présentées à l'école avec le voile à la rentrée de septembre 2003, alors que l'on en dénombrait 1 123 en 1994. Selon le ministre, 3 mois après la rentrée il ne reste que 20 cas non résolus et seulement 4 établissements ont été contraints d'aller jusqu'à l'exclusion.

Les responsables de l'administration de l'Éducation nationale reconnaissent que le port du foulard et les relations entre les garçons et les filles posent de réels problèmes à l'institution et aux chefs d'établissement mais ils considèrent, dans l'ensemble, que les problèmes restent localisés et ne s'aggravent pas.

De son côté, Mme Hanifa Chérifi[3] la médiatrice de l'Éducation nationale pour les problèmes de voile, a déclaré que la situation dans les établissements scolaires s'est aujourd'hui apaisée et que le nombre de conflits nécessitant une médiation se situe entre 100 et 150 cas. Elle a ajouté que le voile est moins présent dans les écoles que dans les quartiers.

[1] Audition du 12 novembre 2003
[2] Audition du 19 novembre 2003
[3] Audition du 11 juin 2003

Toutefois, M. Dominique Borne[1], doyen de l'inspection générale de l'Éducation nationale a reconnu devant la mission que les remontées dont il dispose sur le port du voile ne sont pas toujours très fiables. Certains chefs d'établissement préfèrent parfois ne pas faire remonter une information, estimant qu'ils seront mieux jugés s'ils ne font pas état de problèmes au sein leur établissement. D'autres estiment maîtriser la situation et pensent que les deux ou trois voiles qu'il peut y avoir dans leur établissement ne posent pas de problème et ne doivent pas être signalés car alors, ils en provoqueraient. M. Borne considère que le nombre d'établissements touchés doit être légèrement supérieur à 5 % de l'ensemble des établissements, mais certainement très inférieur la barre des 10 %.

Pour sa part, M. Jean-Paul de Gaudemar[2], directeur de l'enseignement scolaire, a admis mais sans en évaluer le nombre, des cas de contestation de l'enseignement lui-même, s'agissant de l'enseignement d'un certain type de philosophie ou des sciences de la vie, notamment, tout ce qui touche à la procréation.

D'une façon générale l'administration semble surtout préoccupée par l'ensemble des problèmes liés au communautarisme, dont le port du voile n'est qu'une manifestation parmi d'autres.

La mission a également cherché à mesurer le problème en auditionnant les recteurs de six académies[3]. Certains chiffres ont pu être obtenus mais ils ne sont pas comparables, faute de répondre à des critères comparables.

M. André Lespagnol, recteur de l'académie de Créteil a indiqué que chaque année, une dizaine d'affaires de voile, concernant 30 à 40 jeunes filles remontent au niveau du rectorat. Parmi ces cas, 2 ou 3 ont vraiment de l'importance car ils attestent d'une volonté de transgression de la loi républicaine.

M. Alain Morvan, recteur de l'académie de Lyon, a fait état de 3 cas depuis le début de l'année dans son académie, dont l'affaire du lycée de La Martinière-Duchère qu'il a résumée ainsi : « *tous les matins, une élève, qui arrivait voilée, enlevait son voile, mettait son bandana, se heurtait à un groupe d'une vingtaine d'enseignants très engagés – du côté de l'ultra gauche, voire au-delà – qui n'étaient pas fâchés de mettre l'institution en difficulté sur ce sujet* ».

---

[1] Audition du 24 juin 2003
[2] Audition du 25 juin 2003
[3] Table ronde du 8 juillet 2003

M. Gérard Chaix, pour l'académie de Strasbourg a fait état, sur la base d'un récent sondage réalisé dans la moitié des établissements de son académie, de 193 voiles dans les lycées consultés, soit 1 % des élèves, et de 230 voiles dans les collèges consultés. Le recteur a toutefois précisé que ce sondage n'a aucune valeur scientifique dans la mesure où, se focalisant sur les établissements les plus sensibles, les chiffres sont surévalués par rapport à la totalité des établissements. Un quart de ces affaires est remonté au rectorat en 2002/2003, toutes les autres ont été réglées sur place, c'est-à-dire qu'elles ne sont pas réglées mais « tolérées » selon les propos de M. Chaix. Ce dernier a par ailleurs déploré, comme l'a fait M. De Gaudemar, un phénomène d'affirmation identitaire dont le port du voile pour les jeunes filles n'est qu'un des éléments. Il s'agit d'une augmentation des absences des élèves au moment des fêtes musulmanes, de revendications par rapport aux interdits alimentaires, de la rupture du jeûne pendant les cours, lors du ramadan. M. Chaix a cité l'exemple suivant : « *dans un lycée, en cours de philosophie ou en sciences de la vie et de la terre, les stylos se lèvent lorsque le professeur aborde un élément qui est jugé sensible et objet de contestation par certains élèves* ».

La situation de l'académie de Paris a été évoquée par Mme Sylvie Smaniotto, chef de cabinet du recteur. Elle n'a pas cité de chiffre sur le port du voile ou sur les incidents de nature communautariste, mais a fait apparaître ces derniers comme plus préoccupants.

Les témoins révèlent que dans les conflits durs les élèves portant le voile sont soutenues par une famille, un réseau, une association et par des avocats. Il peut en résulter des affrontements entre des équipes enseignantes peu armées pour défendre des positions juridiques mal maîtrisées et des personnes subissant la pression de certains courants islamistes. C'est la description qui a été faite par M. Daniel Bancel, recteur de l'académie de Versailles citant l'exemple du collège de Nantua, qu'il a eu à connaître, lequel était « *lié à la présence autour de l'établissement d'une communauté musulmane qui avait clairement d'autres visées que celle de l'équilibre au sein de la communauté éducative* ».

Le recteur de l'académie de Lille, M. Paul Desneuf s'est montré moins optimiste, constatant une volonté assez forte de la part de certains milieux musulmans d'affirmer leur identité et « *une absence totale de complexe dans le langage des jeunes filles, que ce langage soit intégré par elles ou qu'il leur soit dicté* ». Sur l'ensemble de cette académie, 200 cas remontent au rectorat, mais sans incident. Le problème se pose de manière forte dans un lycée de la banlieue lilloise, où 50 jeunes filles portent le voile.

Les témoins ont également fait valoir que le recensement est, à l'évidence, rendu difficile en raison de la grande versatilité, propre à l'adolescence, des jeunes filles concernées, pour lesquelles le port du foulard peut être une étape très passagère ou qui testent les limites de l'interdit et du possible.

Des brèches à la laïcité dans les écoles confessionnelles sous contrat ont également été évoquées devant la mission. Ces écoles doivent accueillir tous les enfants, sans distinction d'origine, d'opinion ou de croyance, ce qui n'est pas toujours le cas, notamment dans les écoles juives sous contrat. Comme l'a fait observer M. Yvon Robert[1], chef du servive de l'inspection générale de l'administration de l'éducation nationale, « *il ne doit pas y avoir de crucifix dans les salles de classes des écoles catholiques, alors qu'on en trouve fréquemment* ». Enfin les inspecteurs de l'Éducation nationale, à l'occasion de leurs trop rares inspections dans les écoles privées, constatent que les programmes s'écartent parfois de ceux de l'enseignement public, ce qui ne devrait pas être le cas. La forte présence de la dimension religieuse dans les établissements juifs et catholiques sous contrat n'est conforme ni à l'esprit ni à la lettre de la loi du 31 décembre 1959.

Si les cas litigieux semblent assez limités, selon les constats officiels, en revanche le durcissement et la radicalisation des positions ont été affirmés par tous les observateurs et notamment, sur le terrain, par les enseignants et les chefs d'établissement.

b) ... mais qui ne reflètent pas les propos des enseignants et des chefs d'établissement

L'ensemble des témoignages qui seront évoqués ci-dessous a convaincu votre Président et l'ensemble des membres de la mission de la réalité du sentiment d'impuissance, et parfois d'abandon, qui décourage les chefs d'établissement et les enseignants confrontés, parfois durement, à des crises liées au port de signes religieux dont la signification politique est clairement apparue.

M. Philippe Guittet[2], secrétaire général du Syndicat national des personnels de direction de l'éducation nationale (SNPDEN), a insisté sur la montée des pressions communautaires et identitaires sur les élèves, engendrant des incidents de plus en plus fréquents dans les écoles. Il devient de plus en plus difficile de discuter avec les jeunes filles. « *Elles connaissent les arrêts du Conseil d'État et ont une attitude beaucoup plus déterminée face au problème. Elles sont très entourées par des juristes, des prédicateurs, toutes sortes de gens qui font pression.* »

---

[1] Audition du 24 juin 2003
[2] Audition du 25 juin 2003

Mme Marie-Ange Henry[1], secrétaire académique du SNPDEN et proviseur du lycée Jules-Ferry à Paris a relaté les pressions fortes qu'elle a pu constater, exercées au sein des établissements, sur les jeunes filles d'origine musulmane qui refusent de pratiquer le ramadan ou de porter le voile. « *L'immense majorité est encore dans ce cas et c'est cette majorité que nous devons protéger pour que l'école de la République fasse son métier d'intégration.* » Des pressions de même nature ont été signalées à la mission s'agissant de surveillants d'externat à l'égard de jeunes surveillantes maghrébines.

Mme Henry constate également une surenchère dans les signes religieux, le port du voile entraînant celui de la kippa. La difficile gestion de ces problèmes est également mise en avant par cette proviseure : « *Au lycée, vous ne pouvez pas sanctionner un élève majeur qui va à la mosquée le vendredi et se fait lui-même un mot d'excuse. De même, vous ne pouvez pas exclure une jeune fille qui ne va pas à la piscine parce qu'elle a le certificat d'un médecin complaisant.* »

La mission a auditionné de nombreux chefs d'établissement de la région parisienne et de province qui ont eu à gérer des crises liées au port de signes religieux. Tous ont évoqué la difficulté de dialoguer et de négocier dans un contexte juridique flou où la ligne de partage entre l'interdit et le permis est fluctuante. Ils se sont le plus souvent trouvés coincés entre une équipe enseignante radicalisée et des élèves exploitant habilement le principe de liberté d'expression en matière religieuse affirmée par la jurisprudence du Conseil d'État. Même lorsque des compromis sont trouvés ou lorsque les sanctions ne sont pas invalidées, ces conflits font des ravages pour la cohésion de la communauté éducative et laissent des traces profondes.

M. Olivier Minne[2], proviseur au lycée Henri-Bergson de Paris a bien exprimé le sentiment général : « *L'absence de cadre légal précis nous met en situation de devoir agir, en quelque sorte, en juge de paix, de rechercher des compromis plus ou moins acceptables, d'inventer une sorte de droit local. Ce fonctionnement permet certes de vivre ensemble dans un esprit de tolérance et dans le respect du pluralisme culturel et religieux, mais il me semble qu'il cesse d'être possible et, en tout cas, devient extrêmement inconfortable pour les personnels de direction, quand se développe une démarche offensive, délibérément contraire aux valeurs laïques.* »

---

[1] Audition du 25 juin 2003
[2] Table ronde du 1er juillet 2003

Un cas relaté par M. Régis Autié[1], directeur d'école élémentaire à Antony (Hauts-de-Seine), est particulièrement significatif. Il s'agit d'une petite-fille de CE2 âgée de 8 ans et demi, dont la famille a informé l'école qu'à partir de janvier 2000, l'enfant atteignant ses 9 ans, elle porterait le voile. Cette position, a beaucoup ému l'ensemble de la communauté éducative qui considérait que le port du voile pour une enfant aussi jeune, associé à un discours très militant et très argumenté de la part de la famille constitue en soi un acte de prosélytisme. Le tribunal administratif a annulé la décision prise par l'inspecteur d'académie d'exclure l'enfant, l'équipe pédagogique a refusé d'appliquer cette décision et l'enfant a été inscrite dans une autre école où son voile a été admis.

Comme l'a indiqué, avec beaucoup de pertinence, M. Éric Geffroy[2], principal du collège Jean Monet à Flers (Orne), le dispositif juridique est tout à fait satisfaisant, tant que l'on n'est pas confronté au problème. « *Lorsque l'on voit arriver dans une petite ville de province comme Flers un avocat en robe dans un conseil de discipline ou le Docteur Thomas Milcent, plus connu sous le nom de Docteur Abdallah, qui vient d'Alsace pour une séance de conseil de discipline dans un petit collège de l'Orne, on pense, en tant que chef d'établissement de base, que l'on ne joue pas dans la même cour.* »

M. Armand Martin[2], proviseur du lycée Raymond-Queneau, à Villeneuve-d'Ascq, a indiqué que depuis le début de l'année scolaire 2002-2003, le nombre des élèves portant le voile a très fortement augmenté, passant d'une petite vingtaine à 55, soit 6 % des 898 élèves filles du lycée. Il a évoqué une enquête selon laquelle 25 élèves en cours d'éducation physique et sportive portent un foulard très serré autour de la tête, voire une cagoule sportive et 11 en sciences physiques et sciences et vie de la terre. À la rentrée de septembre, il a compté 58 voiles. Selon lui, l'avis du Conseil d'État est satisfaisant tant que l'on est en présence de gens ouverts au dialogue, il ne permet pas de sortir des situations de blocage délibéré.

Votre Président fait observer l'ambiguïté des propos tenus par M. Farid Abdelkrim[3], membre de l'Union des organisations islamiques de France (UOIF), par rapport au problème de la piscine et du sport. Selon lui ces pratiques s'inscrivent dans la logique du choix personnel qui doit être accordé aux jeunes filles, lui-même n'entendant pas s'immiscer dans leur conscience, ni leur dire ce qu'elles doivent mettre de côté et ce qu'elles doivent considérer comme des obligations religieuses. D'autres représentants d'associations musulmanes ont suggéré de résoudre le problème en déclarant les cours de piscine facultatifs dans le cadre des programmes scolaires.

---

[1] Table ronde du 1er juillet 2003
[2] Table ronde du 22 octobre 2003
[3] Table ronde du 16 septembre 2003

Les chefs d'établissement parlent d'une entreprise concertée de démolition du principe laïque, dont le voile n'est qu'un aspect, qui appelle une réponse ferme et claire, à laquelle aspirent d'ailleurs de nombreuses élèves d'origine maghrébine. La loi de la rue ne doit pas être la loi de l'école, affirment-ils.

Sur ce dernier point, M. Jean-Paul Savignac[1], proviseur du lycée Colbert à Marseille, a apporté un éclairage intéressant en estimant que les élèves ont besoin d'espaces un peu protégés dans lesquels l'échange peut se faire de façon neutralisée, écrêtée, car la rue est souvent le terrain des violences, des tensions ou l'opposition des cultures.

De l'avis de tous, interdire les signes d'appartenance religieuse ou politique à l'école ne signifie nullement une forme quelconque d'hostilité aux religions. Bien au contraire, il s'agit de faciliter l'échange et la réflexion sur les liens entre culture et religions, sur l'histoire des religions et aussi sur l'athéisme.

Mlle Barbara Lefebvre[2], professeur d'histoire-géographie, a constaté que dans son établissement de banlieue parisienne classé en ZEP, la fermeté de l'administration et d'une majorité d'enseignants quant à la visibilité de signes religieux ostentatoires a permis l'instauration d'une paix religieuse d'autant plus nécessaire qu'existaient, par ailleurs, des problèmes de violence, en particulier à caractère antisémite et sexiste. Elle interroge un peu plus loin : « *Devant une élève voilée de cinquième qui avance comme seule argumentation la dimension révélée de la parole du Prophète lors d'une leçon sur le contexte socio-historique de la naissance de l'islam, quelle position adopter sans courir le risque d'être taxée d'islamophobe ?* »

2.– Le rôle amplificateur des médias

Les innombrables articles et reportages consacrés quotidiennement aux « affaires de foulards », frôlent le matraquage médiatique et brouillent la perception de la réalité.

Un exemple parmi d'autres mérite d'être cité, celui du lycée La Martinière-Duchère, situé dans le quartier difficile de la Duchère à Lyon, dont la proviseure Mme Stanie Lor Sivrais a été entendue par la mission[1]. Cette affaire très passionnelle a enflammé la presse au cours de l'année scolaire passée alors que, comme Mme Lor Sivrais l'a fait remarquer, une seule jeune fille sur 2 500 élèves, dont 67 % de filles souvent d'origine immigrée, était concernée.

---

[1] Table ronde du 22 octobre 2003
[2] Table ronde du 29 octobre 2003

Les réseaux intégristes qui soutiennent très souvent les élèves utilisent les médias pour donner le maximum de retentissement à leur action et susciter un sentiment de solidarité et de victimisation chez les jeunes d'origine immigrée.

Le cycle provocation, répression, exclusion, aggravé par le flou juridique ressenti par la communauté éducative, provoque un écho médiatique qui engendre une situation conflictuelle dont tout le monde sort meurtri et à laquelle, la mission est convaincue qu'il faut mettre un terme.

Beaucoup de chefs d'établissement ont d'ailleurs indiqué que la médiatisation est souvent plus difficile à supporter que le conflit lui-même.

Cette situation contribue à amplifier considérablement des faits qui restent numériquement limités, même s'ils représentent une grave mise en cause des valeurs républicaines et si, comme l'a indiqué M. Bertrand[1], directeur central des Renseignements généraux, un nombre croissant de port de signes religieux est probablement banalisé.

Selon lui, il n'y a jamais eu de cas spontanés « d'affaires de foulards ». Tous les cas recensés ont toujours été contrôlés par la Fédération nationale des musulmans de France (FNMF) ou l'Union des organisations islamiques de France (UOIF).

3.– Le dialogue et la médiation peuvent permettre d'aboutir à des équilibres qui restent fragiles

Que l'on soit favorable ou opposé à une modification législative, on peut considérer que l'exclusion définitive et immédiate ne peut être la seule solution d'un conflit et qu'il importe de laisser aux équipes pédagogiques la possibilité d'explorer, au préalable, d'autres voies, en particulier celle du dialogue, pour obtenir de l'élève qu'elle accepte de retirer son voile.

C'est dans ce but que Mme Hanifa Chérifi[2] a été nommée en 1994 médiatrice auprès des établissements scolaires pour les problèmes liés au port du voile islamiste. À la rentrée 1994, le nombre de voiles était évalué à 2000 dans l'ensemble des établissements. Selon la médiatrice, la situation s'est aujourd'hui plutôt apaisée, grâce à un dispositif qui comprend à la fois la médiation, la formation, une meilleure connaissance des textes juridiques de la part des chefs d'établissement et une intervention immédiate de la

---

[1] Audition du 9 juillet 2003
[2] Audition du 11 juin 2003

médiation, à leur demande. Mais la mission a eu le sentiment que ce dispositif reste insuffisant, voire qu'il peut contribuer davantage à dissimuler les problèmes qu'à les résoudre.

Des nombreux témoignages entendus, il ressort en effet que tout repose non seulement sur la capacité des chefs d'établissement à dialoguer en permanence, tant avec les élèves et leur famille qu'avec les enseignants, pour détourner les tentations de toute espèce mais également sur la solidité et la cohésion de l'équipe pédagogique en place. Malheureusement, ces conditions ne sont pas toujours réunies en raison du manque de temps, du manque de formation à la gestion de ces problèmes et surtout du manque d'arguments juridiques et pédagogiques. Surtout, le sentiment est largement répandu que les compromis sont toujours provisoires et que, le plus souvent, ils déplacent ou diffèrent le problème. Par ailleurs, il n'est pas évident que les compromis selon lesquels la jeune fille accepte de porter un bandana ou un foulard plus discret donnent une claire perception des fondements de la laïcité, même si ces coiffures sont moins agressives pour le regard.

L'extrême diversité sur l'ensemble du territoire de l'évolution d'un problème lié au voile et surtout des solutions appliquées, a beaucoup troublé les membres de la mission qui ont vu dans cette situation une réelle rupture d'égalité devant la loi.

Dans certains lieux réputés calmes, l'apparition d'un voile, rapidement médiatisée, provoque un scandale. Dans d'autres, à l'inverse, le phénomène est totalement banalisé. Il ne peut être admis que les réponses à un problème aussi grave pour le fonctionnement de l'école dépendent de la plus ou moins grande énergie dépensée par les chefs d'établissement et de leur capacité à développer cette énergie dans la durée.

Le problème du non respect de l'obligation d'assiduité aux cours se pose un peu dans les mêmes termes, même si la règle juridique est plus claire. Pour éviter les conflits, par facilité, certains chefs d'établissement tolèrent la non assistance à certains cours, le vendredi ou le samedi, ou acceptent des certificats médicaux de complaisance dispensant des cours de piscine ou d'éducation physique.

C'est la préoccupation principale de M. Dominique Borne[1], doyen de l'inspection générale de l'éducation nationale, qui a déclaré devant la mission : « *Le domaine dans lequel la laïcité doit être absolue est celui de l'assistance aux cours. Je crains parfois qu'une certaine rigueur sur le voile fasse oublier que l'essentiel est l'enseignement. Certains accommodements en la matière me semblent tout à fait condamnables, avec des dispenses*

---

[1] Audition du 24 juin 2003

d'assistance aux cours de gymnastique, des sciences de la vie et de la terre, etc. Ce problème, d'une grande gravité, ne doit pas être toléré. Or parfois, par accommodement, pour éviter des conflits, on tolère cette non-assistance aux cours. »

Pour résoudre les conflits, les chefs d'établissement doivent faire preuve de trésor d'imagination. C'est ce qu'a souligné M. Michel Parcollet, proviseur du lycée Faidherbe de Lille, lors de son audition par la mission[1] : « *Concernant le voile, le lycée Faidherbe a vécu des heures chaudes en 1995. (...) Il se trouve qu'après ce traumatisme de 1995, la région a fait des travaux, a clos le lycée qui ne l'était pas, et a aménagé un parking d'entrée qui permet d'appliquer un compromis élaboré à l'époque, les élèves entrant voilées dans ce premier parking, mais ôtant leur voile sur la voie piétonne qui arrive à la véritable entrée des bâtiments, cours comprises. (...) Cet équilibre est extrêmement fragile. On le sent tellement que, tous les matins, avec les proviseurs adjoints nous sommes à la grille, dans les cours, très souvent, pour éviter que certains oublis, plus ou moins volontaires, fassent qu'un voile ou un foulard entre dans l'établissement. Nous essayons de l'éviter au maximum car nous savons qu'une partie non négligeable des professeurs, comme à Villeneuve-d'Ascq, réagirait immédiatement et je suis quasiment sûr que, dans l'heure qui suit, nous aurions un mouvement de l'ensemble du personnel et d'une partie des élèves. Donc, nous sommes extrêmement vigilants. Si nous n'avons pas d'affaire de voile en ce moment, nous sommes quand même toujours un peu sur le fil du rasoir.* »

On peut se demander si les raffinements constatés, au travers des auditions de la mission, dans la recherche du compromis ne frisent pas l'absurde et s'il n'y a pas là une considérable déperdition d'énergie et de temps au détriment des autres responsabilités des chefs d'établissement.

Autre exemple : MM. Jean-Claude Santana et Roger Sanchez[2], enseignants au lycée La Martinière-Duchère de Lyon, ont relaté les quatre mois de discussions, d'interrogations et de négociations avec la jeune fille de 15 ans qui refusait d'ôter son voile dans un quartier marqué par un fort prosélytisme de la part de groupes fondamentalistes. Le conseil de discipline s'est finalement réuni pour constater un manquement au règlement intérieur qui prescrit aux membres de la communauté éducative d'être tête découverte dans l'enceinte de l'établissement. Le conseil a été aussitôt suspendu par le recteur de l'académie qui a ordonné le maintien de l'élève en classe. Selon les enseignants de l'établissement, le résultat ne peut être regardé comme satisfaisant dans la mesure où d'autres élèves ont été sanctionnés pour le port de casquette ou de bonnet. Par ailleurs, ils estiment que ce type de

---

[1] Audition du 22 octobre 2003
[2] Table ronde du 22 octobre 2003

situation, où le règlement intérieur ne peut être appliqué, ébranle considérablement le respect de l'autorité publique.

Mme Hanifa Chérifi[1], médiatrice nationale du voile, a décrit devant la mission les conditions dans lesquelles elle exerce sa médiation. Elle s'efforce toujours de rencontrer les parents et elle constate que bien souvent ils « *se laissent dépasser par des responsables d'associations, par des juristes, qui viennent parler à leur place en prétendant qu'ils auraient un meilleur contact avec les chefs d'établissement, puisque les pères et les mères ne parlent pas bien français* ». Elle conseille d'ailleurs vivement aux chefs d'établissement de ne pas recevoir tous ces intermédiaires qui encadrent les familles et, le cas échéant, de faire intervenir un interprète, lorsque les parents ne parlent effectivement pas français. Le plus souvent les parents ne partagent pas la vision fondamentaliste de la religion et manifestent un grand désarroi car ils se sentent dévalorisés et remis en cause dans leur rôle de transmission culturelle et religieuse.

La médiation de l'Éducation nationale se heurte en permanence à certains intervenants tel M. Abdallah-Thomas Milcent, ardent défenseur de la liberté du port du voile en milieu scolaire, qui exploitent toutes les subtilités de la jurisprudence du Conseil d'État et les imprécisions relatives aux limites de la liberté d'expression religieuse à l'école, pour encourager les élèves à entretenir le conflit, sans crainte de sacrifier leur scolarité. « *Les islamistes ne défendent pas les jeunes filles voilées mais ils défendent le voile* » selon les termes de la médiatrice.

4.– La position prudente des associations de parents d'élèves

La mission a entendu avec un certain étonnement les représentants des associations de parents d'élèves[2] constater, à l'exception de M. Bernard Teper, au nom de l'union des familles laïques (UFAL), que la situation était gérable et ne méritait pas d'intervention législative.

La fédération des conseils de parents d'élèves (FCPE) tend à relativiser les problèmes liés au port de signes religieux par les élèves en considérant qu'une infime minorité de jeunes choisit la religion comme référence identitaire et que les jeunes sont dotés d'une infinie capacité d'invention en matière de signes et d'apparence extérieure.

La FCPE estime que face à cette difficulté d'interprétation des différentes tenues, il vaut mieux s'en tenir aux règles habituelles en matière de discipline, quitte à les renforcer.

---

[1] Audition du 11 juin 2003
[2] Table ronde du 30 septembre 2003

M. Georges Dupon-Lahitte, président de la FCPE, a ainsi indiqué à la mission que le principe de laïcité concerne l'État et pas les individus. La laïcité à l'école concerne les bâtiments, les programmes et les personnels de l'Éducation nationale qui, eux, sont soumis à la règle de la laïcité, mais pas les usagers. Les élèves et les parents, ne sont pas des laïques « par essence », ils doivent être accueillis à l'école publique dans leur diversité. Par ailleurs, il estime qu'il vaudrait mieux commencer par appliquer les règles existantes de la laïcité à tout le territoire, en commençant par l'Alsace-Moselle. Enfin, il observe qu'il serait très grave de sanctionner une jeune élève qui garde son voile en classe, alors que les véritables intégristes sont ailleurs et plus difficiles à maîtriser.

Selon M. Dupon-Lahitte, faute de pouvoir définir quel type de tenue vestimentaire est obligatoirement la marque d'une volonté de prosélytisme ou un signe religieux, il faut trouver un difficile équilibre qui peut être obtenu sur la base du système juridique actuel, alors que toute interdiction porte, en elle, le risque d'un engrenage

Mme Lucile Rabiller, secrétaire générale de l'association des parents d'élèves de l'enseignement public (PEEP), admet, au contraire, la nécessité d'interdire le port de signes religieux à l'école dans le cadre d'une clarification des règles sur la laïcité.

Les représentants de l'union nationale des associations de parents d'élèves de l'enseignement libre (UNAPEL), privilégient la défense de la liberté d'expression religieuse qui est une dimension essentielle de la liberté de conscience par rapport à l'interdiction du port de signes religieux dans les établissements. Mme Véronique Gass et M. Philippe de Vaujuas, de l'UNAPEL, ont fait valoir, devant la mission, l'avantage considérable, à leurs yeux, des écoles privées, lesquelles, dans le cadre d'un projet d'établissement spécifique, peuvent plus facilement dialoguer avec les familles qui ont choisi ce projet. Selon eux, la connaissance du fait religieux facilite le « vivre ensemble ». Les écoles privées catholiques scolarisent environ 10 % d'enfants musulmans ou d'origine musulmane et M. Philippe de Vaujuas a indiqué que 9 fois sur 10, souvent après un long dialogue, les élèves retirent leur voile. Il a précisé cependant, que certains établissements privés catholiques tolèrent tout simplement le port du voile.

Mme Véronique Gass a clairement exprimé sa crainte d'une interdiction : « *Dès lors que l'on aura supprimé tous signes visibles ou ostentatoires de religion, pourquoi pas, dans un deuxième temps, remettre en cause, l'existence même des établissements catholiques ?* »

La position de M. Bernard Teper, président de l'union des familles laïques (UFAL) est beaucoup plus tranchée. L'école est une institution spécifique, elle n'a pas à appliquer les mêmes règles que les services publics et encore moins celles qui relèvent de la sphère privée. M. Teper considère que les incidents en rapport avec les signes religieux sont très nombreux et qu'ils perturbent les cours de beaucoup d'écoles. De plus, dans une enceinte scolaire, il faut que tout le monde soit soumis à la même règle, or aucune élève portant le voile ne peut aller à la piscine.

La République doit protéger les milliers de jeunes filles qui ne veulent pas porter le voile et qui subissent des pressions intolérables, c'est pourquoi M. Bernard Teper est favorable à une nouvelle loi interdisant tous les signes religieux, voile, croix, ou kippa à l'école publique.

Cette position rejoint les propos tenus, devant la mission, par Mme Camille Lacoste-Dujardin[1], ethnologue, spécialiste de l'Afrique du Nord, à propos des risques de pressions sur les jeunes filles qui ne souhaitent pas porter le voile : « *pour toutes les autres jeunes filles de parents musulmans, leurs compagnes de classe par exemple, il y a grand danger que cette exposition politico-religieuse ne réactive le remord qu'ont la plupart de ces jeunes filles de ne pas être assez fidèles à la religion de leurs parents, car les filles à fichu prétendent leur donner des leçons* ».

B.– L'ÉCOLE DOIT RESTER UN LIEU D'APPRENTISSAGE DE LA CITOYENNETÉ

Mme Françoise Raffini[2], membre du bureau fédéral de la FERC-CGT, a rappelé que l'une des missions essentielles de l'école « *est d'instituer l'élève en citoyen au cours d'un long apprentissage, ce qui exige la confrontation à autrui, à d'autres modes de vie ou de comportement que les siens. En ce sens, l'enseignement du fait religieux participerait à l'instauration de ce « vivre ensemble ». Nous sommes convaincus de la nécessité du dialogue entre les représentants de l'institution, les élèves et leur famille* ».

Beaucoup d'enseignants déplorent, par ailleurs, que l'enseignement de l'éducation civique juridique et sociale ait été déconnecté, notamment, de l'enseignement de l'histoire, et ne soit pas enraciné dans le socle de connaissances de base.

1.– L'école doit développer l'esprit critique sans heurter aucune croyance

Mme Élisabeth Roudinesco[3], psychanalyste, directrice de recherche au département d'histoire de l'université Paris VII a réfuté devant la mission

---

[1] Table ronde du 17 septembre 2003
[2] Table ronde du 30 septembre 2003
[3] Audition du 11 juin 2003

un argument, utilisé par les signataires d'une pétition en faveur de la liberté du port du voile à l'école, selon lequel « *ces jeunes filles sont studieuses* ». Elle a ajouté : « *Je me méfie de cet argument parce que je ne sais pas ce que l'on peut retirer de l'enseignement lorsqu'on se borne à apprendre comme un automate studieux. Développe-t-on vraiment la pensée critique sous un voile en ingurgitant un savoir sur lequel on n'a pas de recul critique ? (...) La mission de l'école est aussi de faire naître chez l'élève, dans certaines limites bien sûr, un esprit critique sur ce qu'on lui enseigne, voire un esprit de rébellion par la parole. En tout cas, la mission de l'école n'est certainement pas de confiner l'élève dans un silence voilé.* »

La mission a noté que pour beaucoup d'acteurs du secteur éducatif, l'école ne doit pas s'éloigner des valeurs constitutives de la République et de la démocratie et notamment de la laïcité et de l'égalité des droits, qu'elle doit appliquer et transmettre. Cela nécessite, comme l'a mentionné M. Hubert Duchscher[1], secrétaire national du Syndicat national unitaire des professeurs d'école (SNUIPP), « *d'assurer l'éducation et la formation, en dehors des religions ou de tout autre groupe de pression. C'est une qualité qui ne se vérifie pas toujours dans d'autres pays européens aux yeux desquels il est parfois difficile de faire valoir notre spécificité en la matière* ».

La crainte d'un recul de la démocratie a été évoquée – d'ailleurs le plus souvent à travers l'augmentation de l'abstentionnisme aux élections – et une réelle attente est exprimée pour que l'école joue pleinement son rôle dans la réconciliation des citoyens et de leurs institutions.

L'école républicaine est universelle, d'une part parce qu'elle est destinée à tous les enfants et d'autre part, parce qu'elle dispense à tous un enseignement identique, fondé sur la raison.

Dans un pays, comme la France, historiquement très marqué par l'influence d'une religion, le processus d'affranchissement des règles de la vie commune, de toute confession religieuse, a permis non seulement un accès aux principes fondamentaux de liberté et d'égalité mais a également favorisé le respect de toutes les religions.

Organiser la liberté religieuse et former les consciences et les intelligences au principe de laïcité passe donc par la nécessité, à l'école avant tout, d'interdire qu'un ou plusieurs cultes envahissent visiblement l'espace public. Il serait paradoxal de retourner contre la laïcité sa tradition conciliatrice en transformant son respect de toutes les religions en droits spécifiques propres à chacune.

---

[1] Table ronde du 30 septembre 2003

La laïcité n'est pas uniquement un mode de régulation des relations entre l'État et ses institutions d'une part et les religions d'autre part. Elle a ses valeurs propres qui ont contribué à façonner la démocratie. Elle associe la liberté fondée sur l'autonomie de jugement, le souci de l'universel qui relativise les appartenances, sans les nier, et l'égalité des droits indépendamment des origines et des convictions.

L'apprentissage de ces valeurs à l'école passe obligatoirement par la capacité de l'institution à imposer le respect de toutes les convictions, sans permettre leur affirmation péremptoire.

Il ne s'agit certainement pas de « profiler » des futurs citoyens uniformisés et de faire prévaloir une sorte de consensus d'opinions affadies, mais de constituer un socle commun d'appartenance et de valeurs. Il s'agit également, face à de jeunes élèves en construction, le plus souvent mineurs, de les protéger de toutes formes de pressions, afin que l'accès au savoir devienne pour eux, le moyen privilégié de développement de leur identité et de leur autonomie.

Ce rappel des missions de l'école et des droits et obligations des élèves constituait l'objet principal des circulaires ministérielles du 12 décembre 1989 et du 20 septembre 1994. Malheureusement, force est de constater que ces textes n'ont pas eu l'impact escompté, tant sur le plan de la compréhension du sens de la laïcité que sur la disparition des perturbations liées aux revendications d'appartenance religieuse ou identitaire.

C'est ce qu'a rappelé, devant la mission, M. Hubert Raguin[1], secrétaire fédéral de Force Ouvrière enseignement. Il considère qu'il faut rétablir les règles traditionnelles et restaurer les principes, à savoir le respect de la stricte neutralité religieuse de l'enseignement public. Les dérives constatées, notamment en ce qui concerne les facilités reconnues aux communautés, remonteraient à la loi du 10 juillet 1989 qui a accordé la liberté d'expression aux élèves. « *Pour Force Ouvrière, la laïcité ne peut pas être à géométrie variable, d'un établissement ou d'une école à l'autre. Il n'appartient pas à chaque établissement, ni a fortiori à chacun des professeurs, d'interpréter ce qui est conforme, ou non, au respect de la laïcité.* » Pourtant, ce syndicat est opposé à l'adoption d'une loi.

M. Patrick Gonthier[1], de l'UNSA-Éducation, a également constaté que la circulaire du 12 décembre 1989 s'était bien assigné, à terme, l'objectif du retrait du port de signes religieux. Malheureusement, selon lui, quatorze années après, « *les faits ont confirmé nos inquiétudes. La gestion*

---

[1] Table ronde du 30 septembre 2003

purement disciplinaire, inscrite dans les règlements des établissements, montre ses limites. Le vide juridique perdure, les contentieux pourraient se multiplier ». Il constate pourtant que « *une solution politique est devenue nécessaire* ».

Si l'éducation est un processus qui doit conduire à l'autonomie du jugement, ce processus ne peut commencer par l'affichage d'une allégeance ou de certitudes prédéterminées. Arborer un signe ou une tenue révélant une appartenance c'est affirmer par avance ce qu'il faut croire et se fermer à toute connaissance nouvelle qui pourrait en faire douter.

L'enseignement laïque transmet les œuvres et les conquêtes de l'esprit humain, il doit relater les visions du monde, religieuse ou autre, qui ont leur place dans ce panorama, sans qu'aucune forme de pression ou d'autocensure ne conduise à les invalider, à les valoriser ou à les censurer.

L'école ne doit pas devenir un supermarché de la connaissance où s'échangeraient une offre d'apprentissage et une demande sélective de savoirs. Elle a parmi ses missions celle de contribuer à la formation d'esprits libres et aptes au jugement critique. Pour cela les enseignants, astreints à une stricte neutralité dans leur démarche intellectuelle et leur comportement, doivent privilégier l'universel sur le particulier et aider les élèves à se distancier de l'emprise familiale, religieuse et culturelle.

Il ne faut toutefois pas confondre approche universelle des connaissances, c'est-à-dire ce qui est commun à l'humanité, et nivellement total des savoirs.

Un détour par l'expérience individuelle de chacun peut constituer un outil pédagogique utile dans des classes où se côtoient des origines très diverses, mais cette démarche doit valoriser, à travers la tolérance, la curiosité et l'ouverture à la diversité, ce qui rapproche les élèves et faire reculer ce qui enferme et ce qui sépare.

Pour cette raison la mission estime qu'il faut tenir compte des propos de M. Hubert Duchscher[1], du SNUIPP, lorsqu'il dit « *il faut considérer que l'école est source d'émancipation, de tolérance, d'éducation ouverte à la citoyenneté pour tous les jeunes. En ce sens, si les enseignants se voient contraints de procéder à l'exclusion d'un élève, c'est qu'ils ont échoué dans leur mission, ce qui est un constat toujours très douloureux et très mal vécu* ».* Il est bien certain que tout doit être fait pour faire conduire tous les élèves à adhérer aux principes de fonctionnement de l'enseignement, afin d'éviter au maximum les solutions radicales.

---

[1] Table ronde du 30 septembre 2003

Cette haute idée de la mission éducative, indispensable à la formation d'une conscience collective et à la découverte de la citoyenneté passe par l'instauration de règles, au sein des établissements, qui doivent favoriser l'apprentissage du « vivre ensemble » et inculquer aux élèves une perception claire de la limite de leurs droits et de leurs devoirs envers l'école et les autres membres de la communauté éducative.

C'est pourquoi l'école a besoin de distance par rapport aux conflits et aux problèmes qui traversent la société et le monde, même si elle ne peut évidemment les ignorer. Les symboles vestimentaires ou les signes d'appartenance visibles remettent en cause la neutralité nécessaire à la mission de l'école parce qu'ils sont source de discrimination, voire de conflits.

L'école doit garantir à chacun la possibilité de se mettre à distance des appartenances et des croyances des autres mais aussi des siennes propres. C'est le seul moyen de permettre sans arrière-pensée de domination, des échanges et de la fluidité entre les croyances individuelles. C'est la vraie garantie de la liberté de conscience des élèves.

Enfin, la relation égalitaire entre les garçons et les filles se construit à l'école. La mission est convaincue que si, par exemple, une élève porte le voile elle s'inscrit dans une forme de différentiation qui peut sous-entendre que le respect des filles par les garçons est subordonné à une tenue spéciale. C'est le sens de la remarque de Mme Élisabeth Roudinesco[1], psychanalyste, à propos de : « *l'idée, souvent invoquée par les jeunes filles elles-mêmes, que celles qui ne se voilent pas sont impudiques et impures* ».

2.– Les conflits et les revendications communautaires n'ont pas leur place à l'école

M. Patrick Gonthier[2], de l'UNSA-Éducation, a attiré l'attention de la mission sur le problème de la revendication de droits spécifiques à l'école en fonction d'appartenance religieuse ou autre en estimant que : « *La manifestation d'expression des convictions ne peut être fondée sur une différence de droits, laissée à l'appréciation des établissements* ».

Votre Président considère utile de rappeler que le principe constitutionnel d'égalité devant la loi, sans distinction d'origine, de race ou de religion et celui selon lequel les distinctions sociales ne peuvent être fondées que sur l'utilité commune, excluent tout différentialisme juridique fondé sur la religion, la coutume ou la tradition familiale.

---

[1] Audition du 11 juin 2003
[2] Table ronde du 30 septembre 2003

Les revendications dans le cadre scolaire, de droits de dispenses ou d'avantages, en référence à ces spécificités religieuses ou traditionnelles, non seulement sont contraires aux principes fondamentaux de la République, mais tendent à faire de l'école un champ clos d'affrontements reproduisant ceux des adultes, comme cela a été plusieurs fois rappelé devant la mission.

M. Hubert Tison[1], membre de l'association des professeurs d'histoire et de géographie, a fait état de « *tentatives d'ingérence soit d'organisations, soit de personnalités religieuses ou politiques, [qui] se font jour dans les contenus d'enseignement ou dans la formation des maîtres Beaucoup de professeurs font face à ces incidents, d'autres craquent ou passent vite sur les faits controversés pour ne pas susciter de conflits internes* ».

Ceux ou celles qui croient ainsi affirmer leur liberté religieuse ou leur liberté d'expression mettent gravement en péril la laïcité dont ils se revendiquent en livrant l'école à toutes sortes de pressions communautaristes dont ils pourraient devenir les victimes. Une telle juxtaposition de droits et de situations spécifiques réduirait la laïcité à une simple laïcité d'accueil.

L'égalité de tous à travers l'interdiction de toute forme visible d'affichage d'une croyance religieuse ou politique est la véritable garantie de la liberté de conscience.

De surcroît, les partisans de ce communautarisme feignent de penser qu'un croyant est nécessairement rattaché et soumis à une communauté constituée. Or de nombreuses études sociologiques démontrent exactement le contraire. Pour toutes les religions, y compris l'islam, les pratiques religieuses en Europe sont fortement individualisées et les croyants sont davantage dispersés qu'organisés, au sein de la société. La démarche communautariste qui vise à enfermer des individus dans un fonctionnement univoque au nom d'une religion n'est en fait qu'un moyen d'exercer un pouvoir politique et moral sur ces individus. Il ne faut jamais perdre de vue, comme cela a été rappelé par plusieurs observateurs devant la mission, que face aux poussées de l'intégrisme religieux, le nombre de pratiquants musulmans en France est minime, sans doute moins de 12 % de la communauté musulmane, selon un article de René Rémond paru dans le journal « La Croix » le 23 juin dernier.

---

[1] Table ronde du 30 septembre 2003

Ces chiffres coïncident avec ceux de M. Yves Bertrand[1], directeur central des renseignements généraux, lorsqu'il dit que sur les 1 534 mosquées présentes en France, 1 147 accueillent moins de cent fidèles et 12 seulement dépassent le seuil des mille pratiquants.

En réalité, les revendications de type communautariste ne reposent actuellement en France sur aucune réalité sociologique et sont un facteur d'agitation politique utilisé par un petit nombre d'individus.

À l'inverse, l'individualisation de la conscience qui veut penser par elle-même est une conquête de la pensée européenne en faveur de la liberté individuelle et de la formation d'une réelle identité personnelle.

L'effet de contagion des revendications d'un traitement particulier, pour des motifs religieux, ne pourrait qu'aboutir à la disparition de la communauté scolaire au profit de plusieurs petites communautés aux intérêts et aux rythmes divergents. Autoriser le simple port de signes d'appartenance spécifique est, en raison de leur forte valeur symbolique, le point de départ de dérives qui, à terme, mettront à mal le lien social.

Il faut donc éviter que les établissements scolaires perdent leur identité principale qui est d'être un lieu d'études et de savoir en devenant des terrains d'expérimentation de revendications identitaires et, occasionnellement, d'affrontements liés à un sentiment d'appartenance communautaire occultant toute réflexion. De même, la violence raciste constatée trop souvent à l'école est une forme de communautarisme. C'est en redonnant à l'école tout son poids et tout son rôle dans la diffusion d'un savoir neutre et supplantant les croyances et les préjugés que l'on fera reculer la détestation de l'autre.

L'école publique est aujourd'hui parfois considérée comme un lieu dangereux par certaines familles et il faut impérativement renverser cette tendance.

II.– L'ÉCOLE COMME VECTEUR D'INTÉGRATION SOCIALE SEMBLE DE MOINS EN MOINS CRÉDIBLE POUR LES JEUNES DES MILIEUX DÉFAVORISÉS

Le Haut conseil à l'intégration, dans un rapport sur l'islam dans la république de novembre 2000, a souligné que de nombreuses manifestions identitaires à l'école et d'hostilité à l'institution, correspondent souvent à des situations d'échec scolaire, voire de détresse sociale.

---

[1] Audition du 9 juillet 2003

Ce constat a également été fait par de nombreux témoins auditionnés et c'est un aspect du problème que la mission considère comme déterminant.

A.– LE REPLI COMMUNAUTAIRE : UNE TENTATION POUR DES JEUNES EN DIFFICULTÉ

Les discriminations répétées liées à l'origine réelle ou supposée peuvent conduire les personnes qui en sont victimes, et notamment les jeunes plus sensibles à l'injustice, à rechercher une intégration de substitution dans le recours au communautarisme.

L'appartenance à une communauté c'est-à-dire à un groupe social uni par des intérêts communs qui peuvent être de nature très diverse, (religieux, mais aussi culturels ou professionnels...) est un phénomène structurant, à la fois pour les individus et pour la collectivité, à la condition qu'il reste associé à la sphère privée. Le communautarisme tend à faire basculer ces intérêts dans la sphère publique, notamment sous la forme de revendications de droits spécifiques.

C'est parce que, l'école d'abord puis le marché du travail ensuite, ne jouent plus leur rôle de lieu d'intégration sociale, que les différences culturelles deviennent des handicaps et que la société se cloisonne.

1.– L'échec scolaire frappe lourdement les enfants issus de l'immigration

Le fractionnement social de l'espace urbain et périurbain n'est pas un phénomène nouveau. Il est aujourd'hui un facteur de profondes inégalités et de discriminations parce qu'il fait obstacle à la mobilité sociale et géographique. C'est le phénomène de ghetto qui commence à être bien cerné et qui rejaillit sur le fonctionnement de l'école.

Mme Hanifa Chérifi[1], médiatrice nationale du voile, rappelant le déroulement de la première affaire de voile à Creil en 1989, a évoqué le contexte social de cet établissement scolaire, qu'elle retrouve dans quasiment toutes les affaires pour lesquelles elle intervient comme médiatrice de l'Éducation nationale. Le principal du collège de Creil parlait de son collège en disant que c'était une « poubelle sociale ». 60 % des élèves de cet établissement n'avaient pas réussi leur examen au BEPC. Selon Mme Chérifi on trouvait là un « concentré » de problèmes sociaux, le voile n'étant finalement qu'un des révélateurs de ces problèmes.

---

[1] Audition du 11 juin 2003

Dans un document de contribution au débat sur l'éducation en date du 1er octobre 2003, le Conseil national des villes (CNV) analyse certains aspects des blocages de la politique éducative. Sous l'effet de la « captivité territoriale », et de l'isolement des quartiers, les inégalités entre territoires continueraient de s'accroître. Certains établissements scolaires se trouvent ainsi « spécialisés » sur une base souvent sociale ou ethnique, renforcée par les stratégies d'évitement des familles qui en ont la possibilité. De surcroît, l'investissement en matière éducative (modernisation des infrastructures, accompagnement extrascolaire) varie fortement d'une collectivité à une autre et dépend du niveau des ressources des communes. Le CNV voit dans l'échec scolaire, qui se traduit par le départ chaque année du système scolaire sans diplôme ni qualification de 160 000 élèves[1], une des causes de la violence à la fois physique et verbale qui a fait irruption à l'école.

Dans un récent rapport[2], le Conseil d'analyse économique (CAE) démontre que l'égalité d'accès à l'éducation et à la formation est gravement remise en cause par « le système ségrégatif urbain ». Un premier constat est rappelé : les zones d'éducation prioritaires (ZEP) coïncident à 95,5 % avec les zones urbaines sensibles (ZUS) caractérisées, notamment, par un habitat dégradé, un taux de chômage et de jeunes ayant quitté le système scolaire sans diplôme élevé et une surreprésentation des familles immigrées. Le second constat est que 10 % des établissements scolaires accueillent 90 % des élèves issus de l'immigration. Ces derniers sont majoritaires dans les sections d'enseignement général et professionnel (SEGPA) et dans les filières d'enseignement professionnel du secondaire.

Selon le CAE, il en résulte de grandes déceptions, alors que les familles immigrées ont des attentes fortes vis-à-vis de l'enseignement. Ces déceptions peuvent conduire à divers types de réaction de la part des élèves : absentéisme, décrochage, perte d'estime de soi, perte de confiance dans la société, voire obsession identitaire.

La probabilité de sortir du système scolaire sans qualification est très liée à l'origine sociale et nationale des parents des élèves. Elle s'échelonne de 1,9 à 30,8 % entre les parents appartenant au corps enseignant et les parents inactifs en passant par 15,6 % pour les ouvriers non qualifiés. Elle est de 8,7 % pour les élèves français et de 15,1 % pour les élèves étrangers avec des variations importantes suivant les nationalités des familles, 14,8 % pour les familles originaires d'Algérie et 12,5 % pour celles originaires du Maroc, par exemple.

---

[1] Ce chiffre a également été cité par le ministre de l'éducation nationale dans son discours sur le projet de budget de la jeunesse et de l'enseignement scolaire pour 2003, le 22 octobre 2002 à l'Assemblée nationale.
2 Ségrégation urbaine et intégration sociale, novembre 2003

La proportion des jeunes de 15-24 ans non diplômés est particulièrement élevée au sein des ZUS, elle est de 35 % en moyenne pour atteindre 66 % dans les ZUS de Boulogne et de Calais.

2.– Les discriminations et la perte du sentiment d'appartenance à la République

Plusieurs observateurs signalent l'émergence d'un islam des quartiers, fondé sur une culture des cités dont la religion serait une des composantes. Ce phénomène concerne aussi des jeunes, surtout des garçons, issus de familles d'origine française qui se convertissent à l'islam, celui-ci représentant un exutoire à leur mal de vivre.

Ces informations sont corroborées par une note communiquée à la mission par le directeur central des renseignements généraux qui fait état de l'expansion du phénomène des conversions à l'islam des jeunes dans le département de l'Essonne, où il y aurait aujourd'hui entre 1 000 et 2 000 convertis. D'après cette note, la propension de ces nouveaux convertis à intégrer des réseaux extrémistes, et notamment des groupuscules salafites, n'est pas négligeable.

Cette démarche correspond plus souvent à la recherche d'une famille d'appartenance qu'à une véritable attirance spirituelle. De surcroît et paradoxalement, la médiatisation négative de l'islam, associée, sans réflexion, à la révolte des pauvres dans le monde, séduit des jeunes en voie de marginalisation.

La pratique identitaire de la religion musulmane est ainsi le fruit de frustrations sociales et économiques et, pour les jeunes issus de l'immigration, de discriminations inacceptables.

On s'aperçoit vite que ce type de positionnement qui revendique le port du voile pour les filles est plus proche de l'idéologie que de la religion. Par exemple, les manifestations d'antisémitisme qui accompagnent trop souvent, notamment en milieu scolaire, les revendications identitaires de certains jeunes musulmans n'ont pas grand-chose à voir avec la pratique religieuse.

M. Mohamed Arkoun, professeur spécialiste d'islamologie, entendu par la mission[1], n'a pas hésité à parler d'idéologie à propos des sermons dispensés dans les mosquées : « *Ces sermons vont davantage dans le sens du combat idéologique – nécessité historique – de tous les musulmans dans le monde et non pas d'une formation théologique qui*

---

[1] Table ronde du 17 septembre 2003

ouvrirait les croyants à une compréhension ouverte et cohérente de ce qu'est la croyance religieuse dans une société moderne et laïque ».

Ce sentiment d'exclusion est aggravé par le fait que les discriminations touchent également les jeunes d'origine maghrébine qui ont réussi leurs études.

L'intégration des jeunes français d'origine maghrébine est en difficulté et le taux de chômage, à diplôme égal, est anormalement plus élevé parmi eux, ce qui nourrit évidemment beaucoup de frustrations. En mars 2000, une étude du ministère de l'emploi révélait que le taux de chômage des actifs les plus diplômés se situait à 5 % chez les Français d'origine, à 11 % chez les Français de parents étrangers et à 20 % chez les étrangers d'origine maghrébine.

On peut citer à ce propos M. Michel Tubiana[1], président de la Ligue des droits de l'homme : « *On peut enseigner toutes les valeurs que l'on souhaite à l'école, mais lorsqu'à sa sortie, l'on est systématiquement refusé dans les entreprises parce que votre nom n'est pas de consonance berrichonne ou autre, que cette mésaventure se reproduit au quotidien, pour trouver un appartement ou dans les rapports aux autorités publiques, vous pouvez enseigner toutes les valeurs que vous voulez à l'école, vous n'avez aucune légitimité à les enseigner, tout simplement parce qu'elles sont violées chaque jour à l'extérieur* ». Selon lui la vraie question est donc celle de l'intégration.

Mme Aline Sylla[2], membre du Haut conseil à l'intégration, a fait allusion au monde difficile de l'entreprise « *où l'on se prend la discrimination en pleine face (...) plus ce choc est tardif, plus il est mal ressenti : on le voit avec les jeunes diplômés qui, au prix de grands efforts, sont parvenus à entrer dans le système et qui se heurtent à la discrimination quand ils se mettent à chercher du travail* ».

B.– LE PORT DE SIGNES RELIGIEUX ET POLITIQUES : UNE MANIFESTATION DU COMMUNAUTARISME

Parmi les arguments entendus qui réfutent la nécessité d'une intervention législative figure l'idée qu'une telle loi serait prohibitive et répressive. Mais il est au contraire apparu que la loi pourrait avoir un caractère libérateur, notamment pour les élèves musulmanes qui sont opposées au port du voile et qui considèrent que leur identité ne se réduit pas à une appartenance religieuse.

---

[1] Table ronde du 24 septembre 2003

Un autre argument favorable au *statu quo* consiste à dire que l'interdiction du port de signes religieux ou politiques à l'école publique rejetterait les enfants de familles croyantes vers les écoles confessionnelles. Cette crainte semble peu convaincante lorsque l'on constate qu'à l'heure actuelle, les écoles privées croulent déjà sous les demandes d'inscription motivées par les tensions et les conflits divers apparus dans les écoles publiques. M. Shmuel Trigano[1], sociologue, a, notamment, évoqué ce problème en disant que l'afflux des demandes d'admission dans les écoles juives, non seulement d'élèves mais d'enseignants, ne correspond pas à un choix positif mais à un choix de sécurité.

Quant au foulard islamique, la mission a observé que s'il peut avoir une signification religieuse pour celles qui le portent, il a également bien d'autres motivations, notamment psychologiques, culturelles et politiques.

On citera Mme Françoise Gaspard, entendue par la mission[2] : « *En effet, il n'y a pas un seul voile mais plusieurs : le voile de l'émigrée, qui ne gêne personne ; le voile contraint de certaines petites filles qui le portent ne serait-ce que pour aller jusqu'à l'entrée de l'école ; le voile revendiqué ; le voile de protection, qui protège de la violence des garçons. (...) Par ailleurs, dans la société française, on le constate, il y a des foulards qui vont et viennent, correspondant à des périodes de tension politique, nationale ou internationale ; les foulards avancent, puis dès que le climat se détend, ils reculent – par exemple, les femmes portent plus le foulard pendant le ramadan qu'à d'autres périodes* ».

M. Bruno Étienne, directeur de l'observatoire du religieux à l'IEP d'Aix-en-Provence, a, par exemple, déclaré à la mission[2] que le port du foulard est négociable, parce qu'il ne s'agit pas d'une obligation canonique. Il est lié aussi à la conception de la pudeur et les enquêtes réalisées mettent surtout en valeur la dimension identitaire du port du foulard, à savoir la recherche de reconnaissance.

Le port du voile relève de stratégies hostiles à l'intégration et il n'est pas sans intérêt de ce point de vue de rappeler, comme l'ont fait différents interlocuteurs, que ces coiffures et tenues sont apparues au moment même où, en France, les jeunes filles de familles maghrébines remportaient de plus grands succès que leurs frères dans leur scolarité et que grâce à l'école, elles s'intégraient réellement, sans grands problèmes. C'est en effet précisément dans ce contexte de rentrée scolaire qu'en 1989 « l'affaire de Creil » a ouvert la polémique et déclenché le trouble dans l'opinion française.

---

[1] Table ronde du 29 octobre 2003
[2] Table ronde du 16 septembre 2003

1.– Le port du voile et la quête d'identité

Outre que le port du voile n'a pas le même sens à 10 ans, à 13 ans, à 16 ou 20 ans, il résulte de tous les témoignages qu'il est largement polysémique.

Le problème de recherche d'identité et de valorisation de l'image de soi de tous ces jeunes garçons et filles tentés par des comportements de repli identitaire est apparu d'autant plus préoccupant à la mission, qu'ils sont français à 95 %, scolarisés à l'école publique depuis leur plus jeune âge et n'ont pourtant pas l'impression d'habiter en France.

Le sentiment d'appartenance à la « vraie » culture musulmane correspond à une recherche de valorisation à travers une identité d'origine passablement mythifiée. Le discours des responsables islamistes consiste bien souvent à dévaloriser les pratiques religieuses discrètes et modérées des parents dénoncés comme analphabètes et ignorants. Le phénomène de destruction identitaire chez les jeunes provient très souvent de cette disqualification des parents propagée par les courants islamistes.

Mme Chérifi[1], médiatrice nationale du voile, explique que de nombreux jeunes d'origine immigrée qui n'adhèrent ni à l'islam des parents ni à la culture de la société française, pensent avoir trouvé une identité islamique de substitution.

La grande majorité des personnalités entendues par la mission ont considéré que la revendication des jeunes filles qui portent un voile est plus identitaire que religieuse. D'ailleurs, aucun des représentants de la religion musulmane auditionnés, n'a considéré le port du foulard par les femmes comme une obligation religieuse impérative. De son côté, Mme Chérifi a été catégorique en disant : « *Le voile n'est pas un signe religieux, il n'y a pas de signes religieux dans l'islam* ».

Mme Dounia Bouzar[2], chargée de la mission « islam et action sociale » à la protection judiciaire de la jeunesse, a fourni une explication particulière en parlant du « *mythe de l'âge d'or* » de l'islam. Les jeunes d'origine musulmane ont de plus en plus tendance à penser que l'islam a été précurseur, ce qui entraîne une « *sublimation des textes et renforce une vision apologétique qui conduit certains à dire que le Prophète était féministe avant l'heure et à chercher qui, le premier, a défendu telle ou telle valeur* ».

---

[1] Audition du 11 juin 2003
[2] Table ronde du 16 septembre 2003

Ce qui ressort majoritairement de toutes les auditions réalisées sur le sens du port du foulard, c'est d'une part, une profonde ignorance des élèves musulmans, comme des autres, des fondements de leur propre religion, et des religions en général, et d'autre part, pour les jeunes musulmanes, le désir de faire reconnaître par la société française une religion trop ignorée et trop invisible.

Par ailleurs, le fait de se manifester comme appartenant à une confession peut en fait tenir lieu d'identité, à un moment donné de l'évolution de la personnalité.

Les adolescentes, parfois très jeunes, concernées par le port d'un foulard sont tiraillées entre de multiples contradictions. Celles liées à leur âge, celles liées à leur environnement familial et social et celles découlant de leurs obligations scolaires.

La mission a souvent eu le sentiment qu'un interdit clair et précis pourrait être ressenti comme un soulagement, car, comme l'a souligné Mme Wassila Tamzali[1], présidente du forum des femmes de la Méditerranée-Algérie, le voile est un obstacle à l'égalité des chances entre les filles et les garçons.

Ainsi, le port de signes religieux privilégie, et parfois même réduit, l'identification de soi à la composante religieuse, c'est d'ailleurs pour cette raison qu'il constitue, dans l'espace scolaire, une atteinte à la laïcité.

2.– Le port du voile, la ghettoïsation et la montée de la violence

M. Dominique Borne, doyen de l'inspection générale de l'éducation nationale, et M. Yvon Robert, chef de service de l'inspection générale de l'administration de l'éducation nationale et de la recherche, ont été chargés d'une mission de réflexion sur l'idée républicaine, la laïcité et la lutte contre le communautarise. Auditionné par la mission[2], M. Borne a indiqué que lorsqu'il y a croissance du nombre de jeunes filles portant le voile au sein d'établissements scolaires, elle se situe dans des lieux très particuliers, ghettoïsés, proches de cités où la non mixité sociale entraîne des problèmes forts dans les collèges et les lycées.

Beaucoup de témoignages relèvent une montée de la violence des garçons à l'égard des filles et celles-ci expliquent que le port du voile est une protection contre les comportements masculins agressifs et sexistes dans certains quartiers. Le voile et l'appartenance communautaire serviraient ainsi de bouclier protecteur.

---

[1] Table ronde du 17 septembre 2003
[2] Audition du 24 juin 2003

Mme Françoise Gaspard[1], coauteur de l'ouvrage « *Les foulards de la République* », fait également ce constat et aborde un autre aspect du phénomène de ghettoïsation en observant que les problèmes naissent souvent dans les établissements situés dans des quartiers socialement difficiles, où il y a une très forte rotation des enseignants et où ces derniers arrivent le matin pour repartir le soir. Ils n'ont, par conséquent, aucun lien avec le quartier, ils ne rencontrent pas les familles comme c'était, explique Mme Gaspard, « *le cas de mon temps quand le professeur de mathématiques s'inquiétait auprès de ma mère, sur le marché, de l'évolution de mes études* ».

Mme Fadela Amara[2], présidente de l'association « Ni putes ni soumises » a expliqué à la mission que des mouvements intégristes contribuent fortement à ce que les jeunes filles des cités portent le voile, souvent sans l'assentiment des parents mais avec le renfort des grands frères qui, depuis les années 90, se substituent aux pères et imposent leur autorité. Selon elle, les dérives des ghettos sont un véritable terreau qui nourrit toutes les formes d'intégrisme, qui renforce le sentiment d'injustice et d'exclusion perçu dans les cités et qui empêche une partie de la jeunesse de s'inscrire notamment dans ce que l'on appelle « *le sentiment d'appartenance à la nation* ».

Enfin la mission a entendu avec émotion le témoignage de Mlle Kaïna Benziane[3], sœur de Sohane Benziane, morte brûlée vive au pied de la tour où elle vivait à Vitry-sur-Seine, le 25 mars 2002. Lors de la reconstitution des faits, des applaudissements ont accueilli la sortie de la fourgonnette de police du petit « caïd » de 19 ans, suspecté d'avoir aspergé Sohane d'essence.

Mlle Benziane a indiqué que de plus en plus de jeunes filles avec lesquelles elle a grandi se tournent vers le voile, non pas par conviction religieuse, mais pour se protéger ou montrer qu'elles sont les « vraies femmes musulmanes ». En effet, pour bon nombre de garçons, une femme est avant tout une musulmane. Pour eux, quels que soient leur pays, leur civilisation ou leur culture, les femmes doivent porter le voile. Elle a précisé qu'elle est musulmane et fière de l'être, mais que cela ne suffit pas à constituer sa personnalité, contrairement à certains qui considèrent qu'être musulman est la seule composante d'un individu. Elle a ajouté « *Je ne veux plus entendre ce que me disent certains garçons à chaque fois que je les rencontre, à savoir que si ma sœur avait choisi son statut de jeune fille musulmane et avait porté le voile, elle ne serait pas morte* ».

---

[1] Table ronde du 16 septembre 2003
[2] Table ronde du 17 septembre 2003
[3] Audition du 9 octobre 2003

3.– Le port du voile et le statut des femmes dans la société

Certaines jeunes filles affirment que le port du voile constitue pour elles une forme d'émancipation et de liberté.

Pourtant, beaucoup d'interlocuteurs de la mission, et surtout des femmes, ont affirmé que le conditionnement social des femmes et leur enfermement dans un statut d'infériorité par rapport aux hommes sont à la base de l'exigence ou de la « recommandation » du port du voile formulée par certains prédicateurs. Nombreux sont ceux qui pensent qu'imposer le voile aux petites filles à l'école est un obstacle à l'égalité des chances.

Par exemple, M. Patrick Gonthier[1], de l'UNSA-Éducation, considère que « *l'institution scolaire se doit de rester neutre et laïque, la manifestation des convictions religieuses de quelques-uns pouvant aussi porter atteinte aux droits et libertés d'autres. Ainsi, certaines jeunes filles disent ne plus pouvoir supporter d'être considérées, dans l'école, comme l'antithèse de celles qui portent le foulard. La liberté des uns ne peut ni porter atteinte à celle d'autres, ni à la mixité et à l'égalité de tous* ».

Comme toutes les formes d'endoctrinement, il s'agit de faire un détour par une référence valorisante à la religion et à la pudeur, afin que les femmes s'approprient cet instrument de leur propre aliénation.

Leur parcours scolaire peut en subir de graves conséquences hypothéquant leur avenir social et surtout, les femmes qui persistent dans leur volonté de porter le voile s'interdisent toute possibilité d'accéder à la fonction publique où il est clairement interdit. Si l'objectif proclamé des partisans du voile n'est pas de maintenir les femmes dans un statut social d'infériorité, c'est en tout cas le résultat qui est obtenu.

Mme Chérifi[2] a rappelé que, pour les fondamentalistes, la société devrait être gérée en séparant les hommes et les femmes. Pour que cette séparation, au nom de la préservation de la pudeur des femmes, soit effective, il faut, si l'on ne peut pas la mettre en pratique comme dans les pays qui appliquent la *charia*, trouver d'autres formes de séparation. Le voile est une forme de négation de la mixité dans la société.

Mme Annie Sugier[3], présidente de la Ligue internationale des droits de la femme, considère que le port du voile est à la fois un signe religieux et un signe de ségrégation envers les femmes. Pour les fondamentalistes, la

---

[1] Table ronde du 30 septembre 2003
[2] Audition du 11 juin 2003
[3] Audition du 9 octobre 2003

femme serait, par sa sexualité, source de désordre social. Si elle sort de la maison, elle doit être couverte. Mme Sugier a cité le sport comme exemple du mécanisme de l'exclusion des femmes par le voile. Dans les pays où le port du voile est obligatoire, aucune femme ne participe aux compétitions sportives, notamment aux Jeux olympiques. On retrouve le même phénomène avec l'exclusion des élèves des piscines et des terrains de sport.

Votre Président rappelle, à ce sujet, qu'une question a été posée (le 4 novembre 2003) par notre collègue M. Damien Meslot, au ministre des sports, sur la montée du communautarisme et des dérives qui frappent aujourd'hui certains milieux associatifs et sportifs, avec notamment les pratiques ségrégatives dans les piscines et les gymnases. M. Jean-François Lamour a répondu en confirmant que certains clubs sportifs sont devenus des lieux de repli identitaire et communautaire, voire de prosélytisme et qu'un groupe de travail a été mis en place pour mieux décrire les mécanismes qui empêchent les jeunes femmes d'intégrer les clubs sportifs et aider les dirigeants bénévoles et les élus à mieux comprendre ces mécanismes et à trouver des solutions.

Toutes ces analyses ont été confirmées par M. Slimane Zeghidour[1] journaliste, auteur de l'ouvrage « Le voile et la bannière », qui a dénoncé l'aspect aliénant du voile, lequel est pour le moins, l'une des expressions de l'infériorité juridique de la femme, inscrite dans les textes coraniques comme dans les textes du talmud.

4.– D'autres signes d'appartenance religieuse expriment également un repli identitaire

Le port de la kippa dans les établissements scolaires semble mieux toléré que le voile par les enseignants, mais surtout il est beaucoup moins fréquent dans les écoles publiques en raison de l'existence d'un nombre non négligeable d'écoles juives sous contrat où ce port est largement répandu. Pour autant, le port de la kippa pose les mêmes problèmes que les autres signes religieux ou politiques du point de vue du respect de la laïcité.

M. Olivier Minne[2], proviseur du lycée Bergson à Paris, a abordé le port de la kippa en soulignant qu'il ne pose généralement pas de problème dans son établissement, sauf en période d'examens. En ces occasions, il arrive qu'un élève, voire un correcteur, appartenant à un établissement privé de confession israélite, tente d'imposer à son jury le port de la kippa. M. Olivier Minne a relaté que « le 14 mai, un candidat de section professionnelle passant des épreuves d'éducation physique et sportive (EPS) a refusé d'ôter sa kippa malgré la pression forte du jury et de mon

---

[1] Table ronde du 17 septembre 2003
[2] Table ronde du 1er juillet 2003

adjoint qui gérait le centre d'examen. Il nous a fallu consulter le Service interacadémique des examens et concours (SIEC). Il a été considéré que le règlement intérieur de l'établissement n'était pas opposable en la circonstance, parce que l'examen se passait sous l'autorité du SIEC et non sous celle du chef d'établissement et, qu'au nom du principe d'égalité, l'élève devait être a admis à passer les épreuves, ce qui s'est passé sans encombre ».

Mme Chérifi[1] a, par ailleurs, fait état de différentes sortes de manifestations identitaires qui tendent à remettre en cause le fonctionnement laïque de l'école. Elle a constaté la montée du problème du port de la barbe, comme signe d'appartenance religieuse, par les jeunes gens. Par référence au Prophète des garçons arrivent avec des djellabas ou des calottes. D'autres refusent de s'asseoir à côté d'une jeune fille. Certains adultes, des pères ou des grands frères, refusent de serrer la main de la chef d'établissement parce qu'elle est une femme. On voit également des jeunes filles arrivées le visage voilé aux examens.

À propos de la croix catholique à l'école, Mme Linda Weil-Curiel[2], avocate de la Ligue internationale des droits de la femme, répondant à une question a indiqué qu'elle doit être interdite si elle est ostentatoire c'est-à-dire si elle est se voit à l'extérieur ou est agressive. Elle a complété sa réponse dans les termes suivants : « *Puisque le voile, le foulard, la calotte, la barbe des musulmans ou les bouclettes des juifs orthodoxes expriment une appartenance religieuse qui n'échappe pas aux regards, il est nécessaire de les interdire indistinctement à l'école* ».

C.– LES FONDAMENTALISMES RELIGIEUX EN TOILE DE FOND

L'analyse de Mme Chérifi[1] est notamment très claire sur ce point : « *Le voile en Arabie Saoudite, en Iran ou aujourd'hui dans les pays d'Europe, est une référence exclusive aux courants fondamentalistes. C'est la version fondamentaliste du Coran* ».

M. Dominique Borne[3], doyen de l'inspection générale de l'éducation nationale fait la même analyse lorsqu'il constate que l'extension du port du voile est parallèle aux crises internationales qui touchent l'islam.

Mme Bétoule Fekkar-Lambiotte[4], membre du comité de conservation du patrimoine cultuel, estime que le voile est le symptôme d'une maladie de l'islam qui voudrait garder son authenticité au nom de « la pureté des commencements ».

---

[1] Audition du 11 juin 2003
[2] Audition du 9 octobre 2003
[3] Audition du 24 juin 2003
[4] Table ronde du 17 septembre 2003

M. Abdelwahab Meddeb[1], professeur d'université, auteur de l'ouvrage « *Les maladies de l'islam* », également entendu par la mission considère que nous assistons à l'émergence d'un « voile idéologique ». « *Le voile devient le même de Djakarta à Paris en passant par New York et Londres. Le voile devient un signe idéologique et de propagande politique.* »

Mme Fadela Amara[1], présidente de la fédération « Maison des potes » n'hésite pas à parler « *des soldats du fascisme vert [qui] travaillent dans nos cités pour installer un État islamique dans notre pays. Ces personnes sont en contact avec nos jeunes. Et les jeunes filles qui portent le voile n'ont pas toutes la volonté de le porter comme étendard politique pour un projet de société qui n'a rien à voir avec notre République ; beaucoup d'entre elles sont entraînées dans ce fameux travail de communication.* »

1.– Les associations intégristes occupent l'espace laissé vacant dans les cités

L'intégrisme consiste à instrumentaliser une religion pour asseoir un pouvoir politique.

Selon Mme Hanifa Chérifi[2], le phénomène du voile n'est rien d'autre que la conséquence du travail de prosélytisme des islamistes dans les quartiers, dans un contexte social très défavorisé. Elle ajoute : « *Contrairement à la thèse souvent entendue, le voile n'est pas le signe d'une appartenance religieuse musulmane. C'est le signe de l'appartenance à l'islam fondamentaliste. Le port du hidjab peut être subi ou assumé volontairement par les femmes, cela ne change rien à la nature de ce voile. Si certaines jeunes filles ou femmes disent l'avoir adopté librement, il faut regarder le milieu dans lequel elles évoluent. L'ambiance générale dans certains quartiers est marquée par un retour aux normes islamiques. Dans certains contextes, c'est désormais la version de l'islam fondamentaliste qui prime et s'impose comme norme à l'ensemble, avec un véritable contrôle social des membres. Contrôle social qui s'exerce notamment sur les femmes.* »

La médiatrice considère que le problème excède largement l'école et que si l'on ne tente pas de réduire l'influence des islamistes dans les quartiers, par des réponses sociales, par une meilleure connaissance de leur discours, en opposant un contre discours qui valorise l'intégration, toutes les lois que l'on pourra voter ne suffiront pas à réduire le phénomène.

---

[1] Table ronde du 24 septembre 2003
[2] Audition du 11 juin 2003

2.– La lutte des femmes musulmanes pour leur émancipation en France et dans le monde passe par l'opposition au voile

Mme Chahdortt Djavann, dans son livre *Bas les voiles*, rappelle les conditions dans lesquelles la révolution islamique en Iran a imposé le port du voile à toutes les femmes, dans tout le pays, dans toutes les écoles y compris les écoles primaires : « *c'était le voile ou la mort* ». Elle parle des femmes tirées par les cheveux, jetées à terre, frappées dans les rues de Téhéran parce qu'elles ne voulaient pas porter le voile. Pour elle qui l'a porté 10 ans, le voile abolit la mixité de l'espace et limite de façon radicale l'espace féminin.

Il convient de rappeler que la convention sur l'élimination de toutes les formes de discrimination à l'égard des femmes, signée à New York le 1er mars 1980, entrée en vigueur en France le 13 janvier 1984, demande aux États de modifier les schémas et modèles de comportement socio-culturels de l'homme et de la femme en vue de parvenir à l'élimination des préjugés et des pratiques coutumières ou de tout autre type qui sont fondés sur l'idée de l'infériorité de la femme.

Selon Mme Chérifi[1], le voile n'est jamais émancipateur. Le monde musulman est vaste, il compte 1 milliard de personnes dans des pays différents, et les gens s'habillent selon leurs traditions locales et selon les traditions du pays. Le voile en Arabie Saoudite, en Iran ou aujourd'hui dans les pays d'Europe, est une référence exclusive aux courants fondamentalistes. C'est la version fondamentaliste du Coran.

Selon les fondamentalistes, le corps de la femme perturberait tellement les rapports sociaux qu'à défaut de réclusion, celle-ci doit être entièrement couverte lorsqu'elle sort de sa maison. C'est le cas de l'Arabie Saoudite où les femmes sont entièrement couvertes, comme de l'Afghanistan avec le *tchadri*.

Cela concorde avec l'approche de Mme Camille Lacoste-Dujardin[2], ethnologue spécialiste du Maghreb, qui qualifie le voile d'uniforme politico-religieux moderne. Elle a précisé qu'il est apparu à la suite de la révolution iranienne, donc en 1980, sous un nouveau nom « *hidjab* », celui qui cache. Il est prescrit dans le monde aux femmes qui adhèrent aux valeurs de l'idéologie islamiste. Il est un signe d'adhésion à ces mêmes valeurs politico-religieuses.

---

[1] Audition du 11 juin 2003
[2] Table ronde du 17 septembre 2003

Dans de nombreux pays musulmans le voile est un enjeu entre les modernistes et les conservateurs et ce combat peut rejoindre celui pour la démocratie.

C'est ce que dit Mme Wassila Tamzali[1], avocate franco-algérienne : « *les sociétés du sud méditerranéen sont restées figées sur une attitude fondée sur l'apartheid des femmes, c'est-à-dire l'empêchement de circuler des femmes. Je ne joue pas avec les mots. Il s'agit bien de la culture de mon pays que nous sommes en train d'essayer de vaincre* ».

Mme Élisabeth Roudinesco[2], psychanalyste, partage cet avis : « *En interdisant le port du voile à l'école, nous favoriserions la lutte des femmes musulmanes en faveur de la laïcité dans les pays islamiques. Nous étions opposés à la pratique de l'excision et de la polygamie, nous les avons interdites. Il faut toujours favoriser ce qui peut être émancipateur. Si le voile est autorisé, les jeunes filles qui le portent n'auront plus aucun recours lorsqu'elles souhaiteront l'enlever et qu'elles seront sous l'emprise de leurs familles* ».

Mlle Kaïna Benziane[3] a évoqué la situation des femmes en Algérie, évoquant des femmes de sa famille qui se sont battues contre le port du voile. « *Je trouve dramatique que, dans un pays comme le nôtre où la laïcité et l'égalité sont des principes qui permettent d'être libres, de s'exprimer et de vivre ensemble, on tolère le port du voile, notamment dans des institutions où c'est le "vivre ensemble" qui fait que l'on existe.* »

3.– Les conflits internationaux et l'exacerbation des violences chez les jeunes

On assiste depuis quelque temps en France et en Europe à l'intériorisation des événements internationaux, ce que certains qualifient de « globalisation des émotions ».

Une part importante des problèmes de manifestation du communautarisme à l'école est liée à la situation internationale et notamment au conflit israélo-palestinien. Beaucoup d'enseignants notent la coïncidence entre l'irruption des voiles, des kippas et des keffiehs, parfois associés à des violences, avec le début de la deuxième *Intifada* en 2001. La dramatique méconnaissance culturelle, politique et religieuse des problèmes conduit de nombreux jeunes à identifier leur propre malaise aux actions les plus indéfendables et à de véritables détournements des valeurs religieuses.

---

[1] Table ronde du 17 septembre 2003
[2] Audition du 11 juin 2003
[3] Audition du 9 octobre 2003

D'autres événements comme la première guerre du Golfe, les attentats du 11 septembre 2001 ou, plus récemment, la guerre en Iraq ont coïncidé avec l'observation d'une recrudescence d'incidents à l'école.

Un chef d'établissement a décrit ces faits en insistant sur la vision binaire du monde qui est très souvent celle des élèves. Ils sont traversés par ces événements comme toute notre société et comme ils sont beaucoup plus sensibles, beaucoup moins armés et cultivés, ils se servent de tout ce qui passe pour tenter de se repérer. Selon ce proviseur, les incidents comme le port de signes religieux, ou les problèmes de communautarismes et les manifestations de racisme sont des signes d'alerte de quelque chose qui dépasse singulièrement la question de savoir s'il faut ou non tolérer le voile.

* * * * * * * *

Au vu de l'ensemble de ces faits, de ces témoignages et de ces analyses, la très grande majorité des membres de la mission d'information a estimé qu'une loi est nécessaire – même si elle n'est pas suffisante – et qu'il faudra l'appliquer avec souplesse. Une loi rappelant les exigences de la laïcité à l'école ne pourra, en effet, n'être que plus protectrice et émancipatrice que la situation juridique qui prévaut actuellement.

TROISIÈME PARTIE : LE RÉGIME JURIDIQUE DU PORT DES SIGNES RELIGIEUX À L'ÉCOLE NE GARANTIT PAS SUFFISAMMENT LE RESPECT DE LA LAÏCITÉ DANS LES ÉTABLISSEMENTS SCOLAIRES

Les chefs d'établissement, confrontés à un nombre croissant d'élèves qui désirent afficher leurs convictions religieuses, doivent appliquer un droit jurisprudentiel, défini par le Conseil d'État qui ne permet plus de trouver un équilibre entre liberté de religion et principe de laïcité et qui conduit aujourd'hui à une fragilisation du principe de laïcité à l'école.

I.– LE PORT DE SIGNES RELIGIEUX DANS LES ÉTABLISSEMENTS SCOLAIRES : LA NÉCESSAIRE CONCILIATION ENTRE LIBERTÉ DE RELIGION ET PRINCIPE DE LAÏCITÉ

Le port, par les élèves, de signes religieux à l'école n'est régi par aucune législation précise. Dans le silence des textes, le régime juridique a été défini par le Conseil d'État dans un avis du 27 novembre 1989. Celui-ci, en conciliant les deux principes constitutionnels de liberté de religion et de laïcité, a considéré que le port, par les élèves, de signes religieux à l'école, n'était pas incompatible avec le principe de laïcité.

A.– LE PROBLÈME JURIDIQUE DU PORT DE SIGNES RELIGIEUX DANS LES ÉTABLISSEMENTS SCOLAIRES : CONCILIER DEUX PRINCIPES CONSACRÉS

1.– La liberté de conscience : un principe constitutionnel

La liberté de conscience, fondement d'une société démocratique, figure parmi les libertés fondamentales consacrées tant en droit interne qu'en droit international.

L'article X de la Déclaration des droits de l'homme et du citoyen du 26 août 1789 dispose que « *Nul ne doit être inquiété pour ses opinions, mêmes religieuses, pourvu que leur manifestation ne trouble pas l'ordre public établi par la loi* ».

Principe fondamental reconnu par les lois de la République, selon la jurisprudence du Conseil constitutionnel[1], la liberté de conscience est aussi consacrée par l'article premier de la Constitution du 4 octobre 1958 qui dispose : « *La France est une République indivisible, laïque, démocratique et sociale. Elle assure l'égalité devant la loi de tous les citoyens, sans distinction d'origine, de race ou de religion. Elle respecte toutes les croyances* ».

---

[1] Décision DC n° 77–87 du 23 novembre 1977

De même, selon les termes de l'article premier de la loi du 9 décembre 1905 sur la séparation des Églises et de l'État, « *la République assure la liberté de conscience. Elle garantit le libre exercice des cultes sous les seules restrictions édictées dans l'intérêt de l'ordre public* ».

Dans le domaine de l'enseignement, l'article 10 de la loi d'orientation sur l'Éducation du 10 juillet 1989 affirme que « *dans les collèges et les lycées, les élèves disposent, dans le respect du pluralisme et du principe de neutralité, de la liberté d'information et de la liberté d'expression. L'exercice de ces libertés ne peut porter atteintes aux activités d'enseignement* ».

La liberté de conscience est aussi consacrée par des conventions internationales, ratifiées par la France, notamment le Pacte international relatif aux droits civils et politiques, dans son article 18, et la Convention européenne des droits de l'homme et de sauvegarde des libertés fondamentales, dans son article 9, qui affirme :

« *Toute personne a droit à la liberté de pensée, de conscience et de religion ; ce droit implique la liberté de changer de religion ou de conviction, ainsi que la liberté de manifester sa religion ou sa conviction individuellement ou collectivement, en public ou en privé, par le culte, l'enseignement, les pratiques et l'accomplissement des rites.*

La liberté de manifester sa religion ou ses convictions ne peut faire l'objet d'autres restrictions que celles qui, prévues par la loi, constituent des mesures nécessaires, dans une société démocratique, à la sécurité publique, à la protection de l'ordre, de la santé ou de la morale publiques, ou à la protection des droits et libertés d'autrui. »

La garantie de ces droits est affirmée par l'article 14 de la Convention, sans distinction de sexe ou de religion.

Rédiger dans des termes similaires, les deux traités définissent très précisément les diverses composantes de la liberté de conscience, dans le domaine religieux. Celle-ci comporte non seulement la liberté de *conviction*, mais aussi la liberté de *manifester* sa religion, individuellement ou collectivement.

La liberté religieuse revêt cependant un caractère relatif. Certes, la liberté de conviction, dans sa dimension intérieure et personnelle, est absolue. Mais dès lors qu'elle se traduit, dans la sphère publique, par des manifestations extérieures, elle peut être légitimement limitée.

L'ordre public constitue un premier motif de restriction des manifestations de la vie religieuse. La jurisprudence du Conseil d'État du début du siècle est particulièrement fournie dans le domaine des processions organisées sur la voie publique. Le juge contrôlait alors la réalité d'une menace pour l'ordre public, en tenant compte notamment des habitudes et des traditions locales[1]. De même, la liberté religieuse peut être limitée pour des motifs tenant à des impératifs de sécurité ou de protection de la vie[2].

2.– La liberté de conscience, garantie et limitée par le principe de laïcité

Le principe de laïcité est un principe constitutionnel consacré à la fois par le Préambule de la Constitution du 27 octobre 1946, qui affirme « *l'organisation de l'enseignement laïque et gratuit est un devoir d'État* », et par l'article premier de la Constitution du 4 octobre 1958 qui dispose que « *la France est une République indivisible, laïque, démocratique et sociale* ».

Comme le montre M. David Kessler[3] : « *La laïcité, objet de toutes les passions, obsession des hussards de la République, se trouve dorénavant haussée au niveau le plus élevé de la hiérarchie des normes. Cette présence est assurément une spécificité nationale. Le mot de laïcité, parfois difficilement traduisible en langue étrangère, est absent des autres constitutions européennes.[4]* »

Dans le domaine de l'enseignement, le principe a été consacré, on l'a vu, notamment par la loi du 28 mars 1882 qui dispose que « *dans l'enseignement primaire, l'instruction religieuse est donnée en dehors des édifices et des programmes scolaires* » et par la loi du 30 octobre 1886 relative à l'enseignement primaire, selon laquelle « *dans les écoles publiques de tout ordre, l'enseignement est exclusivement confié à un personnel laïque* ».

Le principe de laïcité constitue à la fois une limite et une garantie de la liberté de conscience.

---

[1] Conseil d'État, 19 février 1909, *Abbé Olivier*, Rec. Lebon p. 181
[2] Le Conseil d'État a ainsi jugé que des médecins qui ont choisi de procéder à la transfusion d'un patient en vue de tenter de le sauver, en dépit de son refus de se voir administrer des produits sanguins pour des motifs religieux, ne commettaient pas de faute de nature à engager la responsabilité de l'État (Conseil d'État, 12 octobre 2001, *Mme X*).
[3] David Kessler « la laïcité » (Pouvoirs », janvier 2002)
[4] « *la seule mention de la laïcité à l'article 7 de la Loi fondamentale allemande ne vise que les écoles laïques, qui sont une catégorie particulières d'écoles publiques* » (David Kessler « la laïcité » « Pouvoirs », janvier 2002)

Il implique, en premier lieu, une limitation à la liberté de manifester sa religion dans la mesure où il impose à l'État, une obligation de neutralité. Telle est l'inspiration de la loi de 1905, qui prévoit, dans son article 2, que « *la République ne reconnaît, ne salarie, ni ne subventionne aucun culte* » et qui crée, dès lors, « *une fiction d'ignorance légale* »[1].

Cependant, le principe de laïcité assure aussi le respect de la liberté de conscience car elle garantit un espace public neutre, tolérant les convictions personnelles de chacun. C'est le sens de l'article premier de la Constitution du 4 octobre 1958 selon lequel la France « *assure l'égalité devant la loi de tous les citoyens, sans distinction d'origine, de race ou de religion. Elle respecte toutes les croyances.* » L'État est neutre et ne privilégie aucune religion : il assure l'égalité de tous devant la loi en ne faisant aucune discrimination fondée sur les convictions religieuses.

Néanmoins la laïcité n'est pas seulement « un principe d'abstention ». Il impose aussi à l'État certaines obligations positives visant à permettre l'exercice du culte. Ainsi, l'article 2 de la loi du 9 décembre 1905 relative à la séparation des Églises et de l'État prévoit que peuvent être inscrites au budget de l'État, des départements et des communes « *les dépenses relatives à des services d'aumôneries et destinées à assurer le libre exercice des cultes dans les établissements publics, tels que les lycées, collèges, écoles, hospices, asiles et prisons* ». De même, l'article premier de la loi n°59-1557 du 31 décembre 1959 sur les rapports entre l'État et les établissements d'enseignements privés, codifié à l'article L. 141–2 du code de l'Éducation, dispose que « *l'État prend toutes les dispositions utiles pour assurer aux élèves de l'enseignement public la liberté des cultes et de l'instruction religieuse* ».

Le caractère polysémique du principe de laïcité a été mis en évidence par M. Roger Errera[2], conseiller d'État, lors de son audition par la mission : « *La plupart des définitions de la laïcité que l'on trouve dans les ouvrages sont négatives : il s'agit de l'abstention, de la neutralité, de l'incompétence, de l'indifférence de l'État en matière religieuse. Je ne pense pas que cela soit entièrement exact ni suffisant. En effet, si tel était le cas, il conviendrait de s'interroger avec inquiétude sur l'État de notre droit et de notre pratique. Nous sommes dans un État qui règle la forme obligatoire des associations cultuelles, qui reconnaît par décret en Conseil d'État les congrégations, en leur faisant obligation d'être soumises à la « juridiction de l'ordinaire » – terme issu du droit canonique ; un État qui assure des aumôneries en prison, à l'armée et à l'hôpital, qui est propriétaire de beaucoup d'édifices de culte construits avant 1905, qui en assure la charge*

---

[1] Maurice Hauriou : « *Principes de droit public* »
[2] Audition du 26 octobre 2003

et qui les donne gratuitement aux confessions. Enfin, nous sommes un pays où, en raison de (...) convictions religieuses, il était possible de se faire dispenser des obligations militaires. »

La Constitution ne prévoit pas de hiérarchie entre les deux principes constitutionnels de laïcité et de liberté de conscience. Or leur conciliation est rendue difficile par la complexité du principe de la laïcité. L'équilibre a été trouvé dans la pratique administrative et dans la jurisprudence du Conseil d'État, qui ont privilégié une application souple des principes, adaptée à des circonstances particulières.

Ainsi, s'agissant de la manifestation d'opinions politiques à l'école, le Conseil d'État a considéré qu'était incompatible avec le principe de neutralité, l'organisation de réunions dans les lycées par des groupements politiques[1], alors qu'était compatible la tenue d'une réunion sur un thème d'ordre civique et social, « *le rôle de l'État dans l'intégration des enfants d'origine étrangère* », animée par le président de l'association « SOS Racisme ».

Mais la question du port de signes religieux se pose aujourd'hui dans un contexte nouveau qui remet en cause l'équilibre trouvé entre liberté de conscience et principe de laïcité.

En effet, comme on l'a vu précédemment, le port de signes religieux dans les écoles est la manifestation d'un problème nouveau qui est celui de l'attitude de l'État face à des communautés dont l'identité, notamment religieuse, tend à s'affirmer plus fortement. Or l'école, qui devrait être un cadre protégé et neutre, devient le terrain privilégié de ces revendications identitaires, qui risquent de s'étendre à d'autres cadres (université, lieu de travail) au fur et à mesure que les élèves grandissent.

Par conséquent, le débat sur la laïcité ne se pose plus dans les mêmes termes qu'au début du siècle. Alors qu'en 1905, le juge devait assurer la garantie de la liberté de conscience et de sa libre expression face à des comportements anticléricaux[2], il est aujourd'hui confronté à des comportements identitaires de types divers qui remettent en cause le modèle républicain d'intégration.

---

[1] Conseil d'État, 8 novembre 1985, ministre de l'éducation nationale c/ Rudent. Cet arrêt est cependant antérieur à la loi d'orientation sur l'Éducation du 10 juillet 1989 qui a réaffirmé la liberté d'expression des élèves.
[2] Tribunal des conflits, 2 juin 1908, Morizot : à propos d'un instituteur qui avait déclaré à ses élèves « *ceux qui croient en Dieu sont des imbéciles* ».

B.– LA COMPATIBILITÉ DU PORT, PAR LES ÉLÈVES, DE SIGNES RELIGIEUX AVEC LE PRINCIPE DE LAÏCITÉ : L'AVIS DU CONSEIL D'ÉTAT DU 27 NOVEMBRE 1989

1.– L'encadrement juridique du port, par les élèves, de signes religieux dans les établissements scolaires

En 1989, ont éclaté dans les établissements scolaires des incidents liés à la volonté de jeunes filles de porter le foulard en classe, en tant que signe d'appartenance religieuse.

Le 6 novembre 1989, au nom du gouvernement, le ministre de l'éducation nationale, de la jeunesse et des sports a saisi le vice-président du Conseil d'État d'une demande d'avis sur la question de savoir :

– « *si compte tenu des principes posés par la Constitution et les lois de la République et eu égard à l'ensemble des règles d'organisation et de fonctionnement de l'école publique, le port de signes d'appartenance religieuse est ou non compatible avec le principe de laïcité ;*

– *en cas de réponse affirmative, à quelles conditions des instructions du ministre, des dispositions du règlement intérieur des écoles, collèges et lycées, des décisions des directeurs d'école et chefs d'établissement pourraient l'admettre ;*

– *si l'inobservation d'une interdiction du port de tels signes ou des conditions prescrites pour celui-ci justifierait le refus d'accueil dans l'établissement d'un nouvel élève, le refus d'accès opposé à un élève régulièrement inscrit, l'exclusion définitive de l'établissement ou du service public de l'éducation, et quelles procédures et quelles garanties devraient alors être mises en œuvre.* »

Le Conseil d'État a, en premier lieu, rappelé que « *le principe de laïcité de l'enseignement public, qui est un des éléments de la laïcité de l'État et de la neutralité de l'ensemble des services publics, impose que l'enseignement soit dispensé dans le respect, d'une part de cette neutralité par les programmes et par les enseignants et d'autre part la liberté de conscience des élèves* ».

Il a ensuite affirmé que « *dans les établissements scolaires, le port, par les élèves, de signes par lesquels ils entendent manifester leur appartenance à une religion n'est pas par lui-même incompatible avec le principe de laïcité, dans la mesure où il constitue l'exercice de la liberté d'expression et de manifestation de croyances religieuses* ».

Néanmoins, il a assorti cette liberté d'un certain nombre de réserves, limitativement déterminées, pour lesquelles il admet une interdiction ponctuelle. Est ainsi prohibé, le port de signes religieux qui, soit par « *leur nature* », soit par « *les conditions dans lesquelles ils seraient portés individuellement ou collectivement, ou par leur caractère ostentatoire ou revendicatif* » :

   – « *constitueraient un acte de pression, de provocation, de prosélytisme ou de propagande* » ;

   – « *porteraient atteinte à la dignité ou à la liberté de l'élève ou d'autres membres de la communauté éducative* » ;

   – « *compromettraient gravement leur santé ou leur sécurité* » ;

   – « *perturberaient le déroulement des activités d'enseignement et le rôle éducatif des enseignants* » ;

   – « *troubleraient l'ordre dans l'établissement ou le fonctionnement du service public* ».

Le Conseil d'État a aussi précisé qu'il est possible, en cas de besoin, de réglementer les modalités d'application de ces principes. Cependant, cette réglementation ne doit pas être édictée au niveau national, mais figurer dans les règlements intérieurs, adoptés par les conseils d'administration des collèges et des lycées. Les procédures disciplinaires incombent aux directeurs et chefs d'établissement : ainsi, des sanctions disciplinaires, comme l'exclusion des élèves, peuvent être prises, sous le contrôle du juge administratif.

Il ressort de cet avis que l'autorisation du port, par un élève, d'un signe religieux à l'école est la règle et son interdiction, l'exception. Le Conseil d'État s'inscrit donc dans la logique de sa jurisprudence classique selon laquelle sont censurées les interdictions générales et absolues.

Il convient de souligner, en premier lieu, que dans cette affaire, le juge a été confronté à la question de la signification du signe religieux, et notamment au problème de la signification du port du foulard au regard des droits de la femme. Comme l'a souligné M. Rémy Schwartz[1], maître des requêtes au Conseil d'État, lors de son audition par la mission :

« *Cette question a été la plus difficile pour le juge puisqu'il a affirmé le nécessaire respect de l'égalité entre les sexes, ce qui est vraiment consubstantiel au principe de laïcité et même consubstantiel à la conception républicaine de la société. Mais il s'est heurté en même temps à une grande difficulté qui est d'interpréter les signes religieux et d'interpréter le sens*

---

[1] Audition du 11 juin 2003

donné par des religions à des signes. Or, le juge dans un État laïque est, d'une façon plus générale, démuni lorsqu'il doit définir ce qu'est une religion et ce qu'est un fait religieux. (...) Le juge, même s'il avait conscience que certains foulards révélaient une situation d'inégalité de la femme sans doute peu acceptable dans la République, s'est heurté aux limites de son rôle en estimant qu'il ne pouvait donner une signification aux signes religieux. »

En second lieu, le Conseil d'État établit une distinction très claire entre « *un signe religieux ostentatoire* » et « *le port ostentatoire d'un signe religieux* ». Le juge refuse en effet de considérer qu'un signe est, en lui-même, ostentatoire : ce n'est pas le signe qui est ou peut être ostentatoire, mais bien son port et donc le comportement qui en résulte.

Le Conseil d'État a été amené, dans sa jurisprudence à réaffirmer cette position de principe, tout en précisant progressivement les circonstances dans lesquelles le port de signes religieux peut être interdit et sanctionné.

Ainsi dans un arrêt *Kherouaa*[1] du 2 novembre 1992, le Conseil d'État a annulé la disposition du règlement intérieur d'un collège portant interdiction générale du port de signes religieux et, en conséquence, la décision d'exclusion prononcée par le proviseur à l'encontre de trois jeunes filles qui avaient porté le voile. Comme le relève le commissaire du gouvernement M. Yann Aguila, cet arrêt « *n'a jamais été un feu vert donné au port du foulard* ». Il confirme que chaque cas est apprécié en fonction de circonstances concrètes : seules des modalités d'interdiction fondées sur les cas visés par l'avis du Conseil d'État sont recevables. Ainsi, dans un arrêt *Yilmaz*[2] du 14 mars 1994, le juge administratif a annulé une disposition du règlement intérieur d'un lycée d'Angers qui prévoyait qu'« *aucun élève ne sera admis en salle de cours, en étude ou au réfectoire, la tête couverte* ».

En revanche, dans un arrêt *Aoukili*[3] du 10 mars 1995, le juge a confirmé la décision d'exclusion de deux élèves ayant refusé d'enlever leur voile en cours de gymnastique. Outre l'argument de la sécurité et du bon déroulement des cours, l'arrêt retient que le père, en distribuant des tracts et en médiatisant l'affaire, a aggravé le trouble à l'ordre public. Dans le même sens, une décision *Époux Wisaadane*[4] du 27 novembre 1996 valide la sanction d'absences répétées aux cours d'éducation physique. Dans un arrêt

---

[1] Conseil d'État, 2 novembre 1992, M. Kherouaa et Mme Kachour, M. Balo et Mme Kizic
[2] Conseil d'État, 14 mars 1994, Yilmaz
[3] Conseil d'État, 10 mars 1995, M. et Mme Aoukili
[4] Conseil d'État, 27 novembre 1996, M. et Mme Wissaadane et M. et Mme Hossein Chedouane

Ait Ahmad [1] du 20 octobre 1999, le juge a précisé que l'administration n'a pas à vérifier si, au cas par cas, la tenue vestimentaire de chaque élève est adéquate à une activité précise. Les décisions en la matière peuvent résulter de l'application de règles générales dans l'établissement, notamment dans le cas où le port de signes religieux pose un problème de sécurité des élèves (cours de technologie, d'éducation physique ou de sciences de la vie et de la terre).

Dans les arrêts *Ligue islamique du Nord* [2], et *Époux Tlaouziti* [3] du 27 novembre 1996, le Conseil d'État a relevé que la participation à des mouvements de protestation par des élèves a gravement troublé le fonctionnement normal de l'établissement et justifié leur exclusion.

Au vu de cette jurisprudence, votre Président souhaite nuancer l'affirmation selon laquelle le port de signes religieux à l'école a donné lieu à des jurisprudences contradictoires. Des analyses trop rapides ont conduit certains commentateurs à conclure que l'arrêt Kherouaa était un feu vert donné au foulard, et l'arrêt Aoukili son interdiction. Comme le montrent ces différents arrêts, la jurisprudence du Conseil d'État, depuis 15 ans, a été parfaitement cohérente avec l'avis rendu en 1989.

Cependant sa mise en œuvre est complexe pour les chefs d'établissement qui doivent motiver suffisamment et correctement leurs décisions de renvoi. C'est ainsi que pour des faits identiques, le Conseil d'État a pu rendre des décisions contraires, en raison de simples différences dans les motivations des décisions de renvoi, ce qui a accru le sentiment d'incompréhension du système juridique actuel.

Une circulaire du ministre de l'éducation nationale a été prise le 12 décembre 1989 pour développer les conclusions de cet avis. Elle reprend la position de principe du Conseil d'État. Cependant, cette circulaire n'est pas dépourvue d'ambiguïté puisque, tout en admettant la possibilité du port, par les élèves, de signes religieux dans les écoles, elle indique qu'en cas de conflit « *le dialogue doit être immédiatement engagé avec le jeune et ses parents afin que, dans l'intérêt de l'élève et le souci du bon fonctionnement de l'école, il soit renoncé au port de ces signes* ». Par conséquent, les chefs d'établissement se trouvent dans la position délicate de devoir admettre le port de signes religieux dans les écoles, tout en faisant en sorte, qu'en pratique, il n'y en ait pas...

---

[1] Conseil d'État, 20 octobre 1999, ministère de l'éducation nationale, de la recherche et de la technologie c/ M. et Mme Ait Ahmad
[2] Conseil d'État, 27 novembre 1996, Ligue islamique du Nord
[3] Conseil d'État, 27 novembre 1996, M. et Mme Tlaouziti

Pour répondre aux inquiétudes des chefs d'établissement, une seconde circulaire du 20 septembre 1994 a été prise. La position adoptée à l'égard du port de signes religieux est plus ferme que celle de 1989. En effet, elle établit tout d'abord une distinction entre signes *ostentatoires* et signes *discrets*, mais surtout, elle introduit l'idée que certains signes peuvent être ostentatoires en eux-mêmes en préconisant l'interdiction de « *signes si ostentatoires que leur signification est précisément de séparer certains élèves des règles de la vie commune.* » La position de cette circulaire inverse dès lors les solutions de 1989 : le principe est l'interdiction et l'on ouvre, ensuite, un espace de liberté aux seuls signes discrets.

Malgré cette interprétation plus ferme des principes, le Conseil d'État a considéré, dans un arrêt « *association Un Sysiphe* » du 10 juillet 1995, que le ministre de l'éducation nationale s'était borné à donner, dans la circulaire, son interprétation de la laïcité, sans qu'aucune de ses dispositions n'ait de valeur normative. Selon cet arrêt, la circulaire n'avait donc qu'*une valeur interprétative*, non susceptible de remettre en cause la position du Conseil d'État.

Lors de son audition, M. Claude Durand-Prinborgne[1], juriste de droit public, ancien responsable de l'enseignement scolaire et ancien recteur, spécialiste des aspects juridiques de la laïcité, a ainsi rappelé que la circulaire de 1994 n'avait pas modifié le régime juridique existant : « *L'actuel vice-président du Conseil d'État, au moment de l'intervention de la circulaire Bayrou, en 1994, en a livré, au journal « La Croix », une critique assez sévère. Il y voyait une tentative pour glisser de la notion de « port ostentatoire » à celle de « signe ostentatoire ». Si le Conseil d'État n'a pas annulé, dans son arrêt suivant, cette circulaire c'est qu'il l'a considérée comme purement interprétative, comme non créatrice de droit et donc comme non illégale. Mais il ne l'en a pas moins écartée de sa jurisprudence postérieure ! Le Conseil d'État reste attaché à la notion de comportement.* »

Par conséquent, il n'existe, en droit positif, aucune règle juridique encadrant le port, par les élèves, de signes religieux dans les écoles, autre que la jurisprudence administrative.

2.– L'élève, un individu titulaire de droits, soumis à des obligations spécifiques

Le problème juridique du port, par les élèves, de signes religieux s'inscrit dans le cadre d'une évolution du système normatif qui tend à faire de l'élève non plus un simple usager du service public mais véritablement un individu titulaire de droits et soumis à des obligations.

---

[1] Audition du 7 octobre 2003

Cette évolution est tout d'abord perceptible dans la loi du 11 juillet 1975 dont l'article 13 prévoit, dans les établissements scolaires, la constitution d'une « *communauté scolaire* » regroupant les personnels, les parents et les élèves. Les droits et les devoirs des membres de cette communauté sont définis dans le règlement intérieur des établissements. Mais c'est surtout la loi d'orientation sur l'Éducation du 10 juillet 1989 et le décret n° 91-173 du 18 février 1991, relatif aux droits et obligations des élèves dans les établissements publics locaux d'enseignement du second degré, qui étendent aux collégiens et aux lycéens les libertés d'expression, d'information, de conscience, de réunion, d'association, et de publication, « *dans le respect du pluralisme et du principe de neutralité* ».

Il convient de souligner que la loi n'évoque pas la liberté d'expression des convictions religieuses.

Témoigne aussi de cette évolution, l'abandon par le Conseil d'État de sa jurisprudence traditionnelle sur l'irrecevabilité des recours formés contre les règlements intérieurs des établissements scolaires, considérés, jusqu'alors, comme des mesures d'ordre intérieur, en vertu de l'adage « *de minimis non curat praetor* »[1]. En censurant un règlement dans l'arrêt Kherouaa du 2 novembre 1992, le juge témoigne de cette évolution qui tend à reconnaître la garantie des droits et libertés.

Cependant, ces droits doivent être conciliés avec certaines règles nécessaires au bon fonctionnement du service public de l'enseignement du second degré, qui peuvent être synthétisées dans la notion « d'ordre public scolaire » (neutralité, égalité, sécurité, assiduité…).

Ainsi, comment le problème de la compatibilité de l'obligation d'assiduité avec la liberté religieuse se pose-t-il ? Peut-on concilier « *le temps de l'école et le temps de Dieu* »[2] et accorder des autorisations d'absence pour la célébration de fêtes religieuses ?

Dans le passé, la difficulté a été résolue par des accommodements locaux, résultant de la bonne volonté des chefs d'établissement, qui ont autorisé des aménagements de l'emploi du temps, ou de celle des élèves eux-mêmes, qui ont accepté d'assister à des cours, sans prendre de notes. On a toutefois constaté des raidissements de positions, à la fois de la part des élèves et des chefs d'établissement, au cours des années récentes, qui ont conduit le Conseil d'État à se prononcer dans les arrêts *Consistoire des*

---

[1] « Le juge ne se préoccupe pas des petites affaires »
[2] M. Yann Aguila, commissaire du gouvernement : conclusions sur les arrêts du 14 avril 1995, Consistoire des israélites de France et autres, et Koen

israélites de France et autres et *Koen*[1] du 14 avril 1995, sur la possibilité de déroger systématiquement aux cours le samedi pour des motifs religieux. Le Conseil d'État a admis la possibilité d'octroyer des autorisations d'absence mais, d'une part, les dispenses doivent être nécessaires à l'exercice d'un culte ou la célébration d'une fête religieuse, et d'autre part, elles doivent être compatibles avec l'accomplissement des tâches inhérentes aux études par les élèves et avec le respect de l'ordre public dans l'établissement.

La liberté d'opinion et d'expression des élèves ne saurait donc remettre en cause l'obligation d'assiduité. L'ordre public scolaire impose, en effet, aux élèves des obligations qui peuvent limiter la liberté d'expression religieuse.

Cette situation ne signifie pas pour autant que l'emploi du temps scolaire « ignore » le fait religieux. En effet, l'article L. 141–3 du code de l'Éducation dispose que « *les écoles élémentaires publiques vaquent un jour par semaine en outre du dimanche, afin de permettre aux parents de faire donner, s'ils le désirent, à leurs enfants l'instruction religieuse, en dehors des édifices scolaires.* ». Il s'agissait de la journée du jeudi, puis de la journée du mercredi.

Concernant les dates d'examen, on constate une certaine souplesse dans l'application de la laïcité pour tenter de respecter les convictions des uns et des autres. Le service public prend en compte, notamment pour les dates d'examen importantes telles que le baccalauréat, les fêtes religieuses, qu'elles soient catholiques, juives et musulmanes.

Dans l'application des principes, une distinction est donc faite entre l'autorisation ponctuelle d'absence ou la prise en compte des fêtes religieuses pour fixer des dates d'examen, qui relèvent de la souplesse de la pratique administrative, et une atteinte systématique à l'obligation d'assiduité, qui s'oppose aux obligations scolaires de l'élève.

C.– L'OBLIGATION DE NEUTRALITÉ DES ENSEIGNANTS

En outre, le régime juridique actuel relatif au port de signes religieux à l'école établit clairement une distinction entre les élèves, « usagers du service public », et les agents du service public.

Ainsi, M. Michel Bouleau, magistrat près le tribunal administratif de Paris, a-t-il confirmé lors de son audition[2] que : « *La position du Conseil d'État repose aujourd'hui sur une claire dichotomie entre la situation de*

---

[1] Conseil d'État, Assemblée, 14 avril 1995, Consistoire des israélites de France et autres, et Koen
[2] Audition du 1er octobre 2003.

l'usager du service public – pour lequel la laïcité doit être ouverte, pluraliste – et la réaffirmation d'une neutralité stricte en matière religieuse pour les agents du service public. »

1.– L'interdiction du port, par les enseignants, de signes religieux

En vertu des principes de laïcité et de neutralité, les agents publics ne peuvent manifester, dans le cadre de leurs fonctions, leurs appartenances religieuses.

Ainsi, par un avis contentieux du 3 mai 2000[1], *Demoiselle Marteaux*, le Conseil d'État a jugé que le «*fait pour un agent du service de l'enseignement de manifester dans l'exercice de ses fonctions ses croyances religieuses, notamment en portant un signe destiné à marquer son appartenance à une religion, constitue un manquement à ses obligations*». Aucune distinction n'est faite selon que la personne intéressée, en l'occurrence une surveillante, a ou non des fonctions d'enseignement, ni selon la nature du service concerné : les principes de laïcité et de neutralité doivent s'appliquer à tous ceux qui appartiennent au service public, quel qu'il soit. Le Conseil constitutionnel a d'ailleurs rappelé que figuraient parmi les principes fondamentaux du service public « *le principe d'égalité et son corollaire, le principe de neutralité du service*[2]. »

L'avis du 3 mai 2000, comme un avis antérieur du 21 septembre 1972, ne fait aucune distinction entre l'enseignement et les autres services publics, qui doivent respecter l'obligation de neutralité et ne pas constituer le vecteur ou le support d'expression de croyances religieuses. Ainsi, dans un jugement du 17 octobre 2002, *Mme Villalba*[3], le tribunal administratif de Paris a considéré qu'en vertu du principe de laïcité de l'État et de neutralité du service public, un établissement hospitalier a légalement refusé de renouveler le contrat d'une assistante sociale qui refusait d'enlever son voile. De même, dans un arrêt du 15 octobre 2003, le Conseil d'État a réaffirmé les principes de laïcité et l'obligation de neutralité qui pèsent sur tout agent public en rejetant la demande d'annulation d'une sanction infligée à un fonctionnaire, qui avait mis l'adresse électronique de son travail à disposition d'une organisation sectaire.

En dépit de la médiatisation de certains cas, l'obligation de neutralité imposée aux agents publics ne pose pas de problème. Elle est clairement affirmée.

---

[1] Suite à une demande d'avis du tribunal administratif de Châlons-en-Champagne, en application de l'article 12 de la loi du 31 décembre 1987

[2] Conseil constitutionnel, décision n° 86–217 du 18 septembre 1986, « liberté de communication »

[3] Tribunal administratif de Paris, 17 octobre 2002, Mme Villalba

Les cas de contentieux sont d'ailleurs très rares, comme l'a souligné M. Rémy Schwartz[1],maître des requêtes au Conseil d'État, lors de son audition par la mission : « *Le contentieux est tout à fait marginal, comme le montre mon expérience de doyen des commissaires du gouvernement – je suis maintenant dans ma onzième année de ce qu'on appelle le "commissariat". Je n'ai pas souvenir de contentieux relatif à des enseignants qui auraient manqué à leur devoir et à l'obligation de neutralité. Il est inéluctable qu'il y en ait. Il y en a sans doute au niveau des tribunaux administratifs mais c'est tout à fait marginal.* »

2.– Une interdiction compatible avec la Convention européenne des droits de l'homme et de sauvegarde des libertés fondamentales

L'obligation de neutralité imposée aux enseignants ne méconnaît pas l'article 9 de la Convention européenne des droits de l'homme et de sauvegarde des libertés fondamentales, comme l'a montré la Cour européenne des droits de l'homme dans un arrêt *Dahlab c/ Suisse*[2] du 15 février 2001.

Dans cette affaire, la Cour a examiné la question du port du foulard par une enseignante, catholique convertie à l'islam, dans une école publique du canton de Genève, lequel est très attaché au concept de laïcité. Les autorités scolaires ont exclu cette enseignante et le tribunal fédéral suisse a confirmé l'exclusion. L'enseignante s'est alors adressée à la Cour européenne des droits de l'homme, laquelle, dans une décision estimant que l'exclusion était proportionnée, a déclaré la requête irrecevable. La Cour européenne admet qu'il est difficile d'apprécier l'impact qu'un signe extérieur fort, tel que le port du foulard, peut avoir sur la liberté de conscience et de religion d'enfants en bas âge. Elle rappelle toutefois que la requérante a enseigné dans une classe d'enfants de 4 à 8 ans, donc d'élèves plus facilement influençables que d'autres élèves plus âgés. Elle pose la question de savoir comment on pourrait, dans ces circonstances, dénier, de prime abord, l'effet prosélytique que peut avoir le port du foulard, dès lors qu'il semble être imposé aux femmes par une prescription coranique, comme le constate le tribunal fédéral, et elle estime qu'il est « *difficilement conciliable avec le message de tolérance, de respect d'autrui, d'égalité et de non-discrimination que, dans une démocratie, tout enseignant doit transmettre à ses élèves* ».

Jusqu'à présent, la Cour n'a eu à connaître aucun contentieux concernant le port, par les élèves, de signes religieux, comme on le verra plus loin.

---

[1] Audition du 11 juin 2003
[2] Cour européenne des droits de l'homme, 15 février 2001, Dahlab c/ Suisse

II.– LE PORT DES SIGNES RELIGIEUX À L'ÉCOLE : UN RÉGIME JURIDIQUE CONTESTÉ ET D'APPLICATION DÉLICATE

L'avis de 1989 du Conseil d'État a donné lieu à de nombreuses polémiques. Certes, l'avis du Conseil d'État s'exprime en termes très généraux, mais cette situation s'explique par le fait qu'il a été saisi *a priori*, hors de tout contentieux. De même, on a pu lui reprocher de ne pas réaffirmer suffisamment le principe de laïcité. Mais l'avis donné reste un avis *juridique* : le Conseil d'État a posé un principe qui tient compte du droit, tel qu'il résulte des textes existants.

Cependant, la jurisprudence du Conseil d'État se révèle d'application particulièrement délicate pour les chefs d'établissement. Manquant souvent de moyens, ceux-ci n'ont pas toujours la possibilité de sanctionner des comportements de prosélytisme ou de propagande. Par conséquent, le port de signes religieux donne lieu à de multiples compromis, – on voit émerger un véritable « *droit local* » – et crée une dichotomie discutable entre enseignants et élèves au sein de la « *communauté éducative* ».

A.– LE CONSEIL D'ÉTAT A POSÉ DES LIMITES AU PORT DE SIGNES RELIGIEUX QUE LES CHEFS D'ÉTABLISSEMENT N'ONT PAS TOUJOURS LES MOYENS D'APPLIQUER

Votre Président tient à souligner l'extrême difficulté de la tâche confiée aux chefs d'établissement. En effet, ceux-ci ne disposent pas toujours des outils nécessaires pour faire face aux revendications communautaristes et aux éventuelles tensions qui peuvent apparaître dans leurs établissements. Les limites posées par le Conseil d'État sont particulièrement difficiles à mettre en œuvre dans un contexte tendu, parfois sous les feux des médias, face à des élèves peut-être manipulés, et prêts au conflit.

1.– Les chefs d'établissement ne disposent pas toujours des outils pour faire face à des revendications communautaristes

Les chefs d'établissement ne disposent pas toujours des outils nécessaires pour faire face à ces revendications identitaires.

Certes, de nouveaux moyens ont été mis en œuvre pour appuyer l'action des chefs d'établissement lorsqu'ils sont confrontés à des manifestations de convictions religieuses.

En 1994, après les nombreuses exclusions prononcées suite à la diffusion de la circulaire du 20 septembre 1994, une structure de médiation a été mise en place. Son objectif était d'améliorer l'écoute des jeunes filles et de les inciter à retirer leurs signes religieux par le dialogue. Cette mission a été confiée à Mme Hanifa Chérifi que la mission a entendue dès le début de ses travaux, le 11 juin 2003.

Lors de son audition, M. Roland Jouve, chargé, notamment, des questions cultuelles au cabinet du ministre délégué à l'enseignement scolaire[1] a souligné que face aux difficultés de plus en plus nombreuses rencontrées par les chefs d'établissement, une cellule de veille avait été récemment créée pour les conseiller et mutualiser leurs expériences :

« *Il y a, en effet, des difficultés liées à la rupture de la laïcité, lorsque certaines pratiques se développent, non seulement celle du port du voile mais aussi la remise en question de certains principes laïques comme le principe de non-discrimination, le principe d'assiduité (refus de participer à certains cours) le principe de neutralité par rapport aux religions, par exemple la demande dans les cantines scolaires de la mise en place de certaines nourritures ou la prise en compte de temps de prière au moment de certaines fêtes religieuses. Par rapport à tout cela, il est vrai que les acteurs du terrain, enseignants et chefs d'établissement, nous ont paru tout à fait dépourvus et isolés. Nous avons donc souhaité structurer l'action du ministère pour entourer ces personnes, en créant une cellule nationale – cellule de veille – qui, mise en place auprès de la direction de l'enseignement scolaire permet d'apporter une expertise, de mutualiser les pratiques et de développer les formations.* »

La solution du dialogue a donc clairement été privilégiée. Mais, là se situe la grande ambiguïté du système actuel et donc sa principale limite. Comme le montre très bien la circulaire du 20 septembre 1994, la finalité de ce dialogue ou de la médiation est que les élèves retirent leurs signes religieux, alors que le système juridique, c'est-à-dire la jurisprudence du Conseil d'État, autorise le port de signes religieux.

Il y a donc une contradiction entre la jurisprudence qui accepte, par principe, le port de signes religieux dans l'école (sauf exceptions déterminées) et le fait que les chefs d'établissement soient invités, par circulaire, à dialoguer avec les élèves pour leur faire retirer leurs signes religieux.

Comme on l'a déjà souligné, les auditions menées par la mission font apparaître clairement un décalage entre le discours des responsables hiérarchiques, qui considèrent que le système actuel permet le dialogue, voire dans certains cas précis la fermeté, pour qu'*in fine,* les jeunes filles *retirent* leurs voiles, et le constat des chefs d'établissement, soumis à un système juridique qui *permet* le port de signes religieux à l'école.

---

[1] Audition du 15 juillet 2003

Une note de la direction juridique du ministère de l'éducation nationale du 10 mars 2003[1], qui a pour objectif de préciser aux chefs d'établissement le régime juridique existant, témoigne de cette ambiguïté. Elle apparaît surtout comme un mode d'emploi de tous les moyens juridiques dont disposent les chefs d'établissement pour empêcher le port de signes religieux à l'école.

Il est, en effet, affirmé : « *La jurisprudence du Conseil d'État ne permet pas d'interdire par principe le port de tout signe d'appartenance religieuse dans les établissements publics d'enseignement. Mais elle ne prive pas pour autant les équipes éducatives de tous moyens d'action pour la défense de la laïcité. Au contraire, elle dégage un ensemble de situations dans lesquelles l'administration doit agir.* »

Cette contradiction apparaît aujourd'hui pleinement en raison d'une évolution très souvent relevée devant la mission. Les jeunes filles qui portent le foulard, parfois poussées par des groupes extrémistes, connaissent de mieux en mieux la jurisprudence du Conseil d'État et les ouvertures qu'elle permet et tendent à refuser le dialogue en s'appuyant sur le droit.

Lors de son audition par la mission, Mme Hanifa Chérifi[2], médiatrice nationale du voile, a souligné les difficultés du dialogue : « *Le docteur Milcent conseille aux jeunes filles dans son ouvrage* Le Foulard islamique et la République française : mode d'emploi *– ouvrage qui est sur un site internet et qu'il a largement distribué –, un certain nombre de procédures et un argumentaire, aussi bien juridique que pour l'échange avec les enseignants. Il écrit notamment : "Cela ne fait rien si vous perdez une année scolaire ou deux du collège et du lycée, à l'âge de votre adolescence, car ce que vous apprendrez au cours de cette épreuve ne se trouve dans aucun manuel scolaire". C'est un encouragement fait à des adolescents et adolescentes à être dans le conflit.* »

C'est aussi le constat dressé par les chefs d'établissement. Lors de son audition[3], M. Philippe Guittet, secrétaire général du syndicat national des personnels de direction de l'Éducation nationale (SNPDEN) a ainsi montré l'évolution de l'attitude des jeunes filles : « *Auparavant, nous pouvions discuter avec elles assez facilement sur le fait de retirer ou pas leur voile. Aujourd'hui nous ne sommes plus dans cette situation. Elles connaissent les arrêts du Conseil d'État et ont une attitude beaucoup plus déterminée face au problème. Elles sont entourées par des*

---

[1] Cf annexe 4
[2] Audition du 11 juin 2003
[3] Audition du 25 juin 2003

juristes, des prédicateurs, toutes sortes de gens qui font pression.(...) Les personnels de direction ont toujours travaillé avec beaucoup de responsabilité, ont tenté de dialoguer. Ils l'ont fait pendant des années et le font encore. Nous n'avons jamais voulu travailler dans le sens de l'exclusion, ce n'est pas notre volonté. Toutefois, aujourd'hui, nous sommes confrontés à une situation nouvelle dont ne prennent pas conscience ceux qui écrivent sur la liberté individuelle des jeunes filles. Ils n'ont pas vu le saut qualitatif qui s'est fait sur place dans l'expression du communautarisme. »

Lorsqu'une situation de crise apparaît, les chefs d'établissement se sentent souvent démunis et manquent de moyens pour faire face à des revendications identitaires. La volonté de dialogue se heurte à la crispation des parties sur leurs positions. Ces affaires provoquent parfois des tensions importantes au sein du corps enseignant et laissent des marques profondes.

C'est ce qu'a souligné M. Roger Pollet[1], proviseur du lycée Jean Moulin d'Albertville (Savoie), et qui a été confronté à une telle crise : *« Le voile islamique – car c'est de cela dont il s'agit – a eu un effet dévastateur auprès des enseignants, a fait exploser l'ambiance de l'établissement et a créé des inimitiés pour lesquels les plaies ne sont pas encore refermées. Si les enseignants ne repartent pas encore au combat c'est parce qu'ils n'ont pas envie de revivre une situation extrêmement dure pour eux. »*

La situation dans laquelle se trouvent les chefs d'établissement est d'autant plus difficile que les moyens juridiques dont ils disposent restent limités. Les circulaires, notamment celle du 20 septembre 1994, sont peu claires sur les marges de manœuvre dont disposent les chefs d'établissement. La note de la direction juridique du ministère de l'éducation nationale du 10 mars 2003 précise les limites juridiques dans lesquels le port de signes religieux peut être autorisé et donne des cas précis. D'après ce qu'ont indiqué les chefs d'établissement, il semblerait que la plupart d'entre eux ne l'ont pas reçue.

Cependant, interrogé par la mission, M. Luc Ferry[2], ministre de la jeunesse, de l'éducation nationale et de la recherche, a déclaré : *« J'ai décidé moi-même, il y a déjà pas mal de temps, de l'envoyer à tous les recteurs, à tous les inspecteurs d'académie, à tous les chefs d'établissement. Donc, ils l'ont eue. J'ai trouvé qu'elle était très bonne, qu'elle était remarquable, très bien faite. Je prépare pour janvier 2004 un livret*

---

[1] Table ronde du 22 octobre 2003
[2] Audition du 12 novembre 2003

républicain qui comportera un guide pratique en direction des chefs d'établissement leur donnant une centaine de fiches sur des cas réels d'événements graves relatifs à des conflits religieux ou interethniques, racistes, antisémitismes ou à des attaques contre les principes de laïcité et de république. Ce guide donne un certain nombre de conseils et de solutions, notamment les bonnes solutions trouvées par leurs collègues. Il s'agit donc de faire une bourse aux idées. »

Témoignent du manque de moyens juridiques les nombreux règlements qui interdisent le port de tout signe religieux dans les établissements scolaires ou qui imposent d'avoir la tête nue – prescriptions illégales. Toute exclusion prononcée dans ces établissements sur la base de ces règlements, et ce, quels que soient les faits, sera donc annulée. Mme Sylvie Smaniotto, chef de cabinet du recteur de l'académie de Paris a ainsi témoigné, lors de son audition[1], que certains règlements « *vont beaucoup plus loin – alors qu'a priori, d'après l'avis du Conseil d'État, ils n'en ont pas le droit et font référence à l'exercice de la liberté d'expression et de croyances religieuses qui "ne saurait permettre aux élèves d'arborer des signes d'appartenance religieuse ou politique", tout en indiquant par ailleurs que le "port d'un couvre-chef est interdit dans l'établissement".* »

Certains chefs d'établissement ont, dès lors, le sentiment de ne pas pouvoir gérer les crises de façon satisfaisante dans le respect de la neutralité et de la laïcité de l'espace scolaire. C'est ce qu'a souligné M. Armand Martin[2], proviseur du lycée Raymond-Queneau de Villeneuve-d'Ascq : « *Je me suis retrouvé dans la position du colonel avec son régiment sur la ligne de feu avec une mission qui était : faites au mieux, pas plus.* »

2.– La difficile appréciation par les chefs d'établissement du caractère de prosélytisme et de propagande du port de signes religieux

Comme on l'a vu, des limites au port de signes religieux dans l'école ont été posées par le Conseil d'État dans son avis de 1989. Cependant ces restrictions ne sont que des exceptions au port de signes religieux à l'école, et surtout, compte tenu des tensions qu'un tel port provoque dans l'établissement, ces limites se révèlent particulièrement délicates à cerner.

La première limite au port de signes religieux posée par le Conseil d'État est qu'il ne doit pas être « *un acte de pression, de provocation, de prosélytisme ou de propagande* ». Or dans la mesure où le simple port de

---

[1] Table ronde du 8 juillet 2003
[2] Table ronde du 22 octobre 2003

signes religieux ne saurait constituer un acte de prosélytisme, il est très difficile, en l'absence d'actes flagrants, de le prouver. Il est parfois difficile de tracer une frontière entre port ostentatoire ou revendicatif – acte de prosélytisme prohibé par la jurisprudence – et le port « normal » de signes religieux. S'il est possible localement de percevoir un caractère ostentatoire ou revendicatif, il est ensuite fort difficile de l'établir devant le juge.

Ce constat a été souligné notamment par M. Jean-Paul Ferrier, principal du collège Léo Larguier de La Grand'Combe (Gard), lors de son audition par la mission[1] : « *Sur cette question, notre expérience montre que la nature ostentatoire, prosélyte ou provocante des signes d'appartenance religieuse n'est pas opérationnelle car elle est très difficile à prouver sur le plan juridique, même quand elle est évidente au plan du simple bon sens. Par conséquent, il y a des failles qui permettent à tous les intégristes de se faufiler.* »

Certes, le Conseil d'État a déjà confirmé des décisions d'exclusion aux motifs qu'il y avait bien des actes de prosélytisme. C'est le cas notamment dans l'arrêt *Aoukili*[2] du 10 mars 1995 : l'arrêt retient que leur père, en distribuant des tracts et en médiatisant l'affaire, a aggravé le trouble à l'ordre public. Cependant, les actes de prosélytisme et de propagande sont ici flagrants.

Qu'en est-il lorsque les jeunes filles qui portent un voile, par exemple, disent à celles qui ne le font pas qu'elles sont de « mauvaises musulmanes » ? N'est-il donc pas légitime de considérer dans un tel cas que le port de certains signes religieux peut avoir, en soi, un caractère de propagande et de prosélytisme ?

Ainsi, le tribunal administratif de Paris, dans un jugement *Kherouaa* du 10 juillet 1996 a considéré que le port d'un voile par une jeune fille présentait, en lui-même, un caractère ostentatoire et revendicatif. Il a donc rejeté la requête demandant l'annulation de la décision d'exclusion et, ce faisant, rendu une décision contraire à la jurisprudence du Conseil d'État.

De même, la Cour européenne des droits de l'homme s'est interrogée dans la décision *Dahlab c/ Suisse* du 15 février 2001 en ces termes : « *Comment dès lors pourrait-on, dans ces circonstances, dénier de prime abord tout effet prosélytique que peut avoir le port du foulard dès lors qu'il semble imposé aux femmes par une prescription coranique qui (...) est difficilement conciliable avec le principe d'égalité des sexes.* »

---

[1] Table ronde du 22 octobre 2003
[2] Conseil d'État, 10 mars 1995, M. et Mme Aoukili

Une seconde limite posée au port de signes religieux dans les écoles par la jurisprudence est le trouble à l'ordre public. Est en effet interdit le port de signes religieux qui perturbe le déroulement des activités d'enseignement et le rôle éducatif des enseignants ou qui trouble l'ordre dans l'établissement ou le fonctionnement du service public.

Le Conseil d'État a confirmé des décisions d'exclusions en se fondant sur le trouble à l'ordre public. Cependant, il exige que le trouble à l'ordre public soit véritablement manifeste : il est constaté lorsque les élèves concernés participent à des mouvements de protestations ayant gravement troublé le fonctionnement normal de l'établissement (CE, 27 novembre 1996, *Ligue islamique du Nord*), ou lorsque des tracts ont été distribués à l'extérieur de l'établissement, avec un appel aux médias (CE, 10 mars 1995, Époux *Aoukili*).

Au contraire, des « tensions » apparues dans un établissement suite à l'apparition de signes religieux ne sauraient fonder une exclusion. Or, l'apparition de signes religieux provoque souvent des tensions suffisamment importantes, pour diviser le corps enseignant et perturber le fonctionnement normal de l'établissement.

En l'absence de troubles matériels *avérés*, causés par les intéressés ou leur entourage, il semble donc difficile de caractériser devant le juge administratif un trouble à l'ordre public justifiant une exclusion.

Enfin, selon l'avis du Conseil d'État, est prohibé le port de signes religieux qui, portent atteinte à la dignité ou à la liberté de l'élève ou d'autres membres de la communauté éducative. Se pose alors le problème de la signification du port du voile, au regard du principe d'égalité entre hommes et femmes. Or, comme on l'a vu, le juge administratif refuse de se saisir de la question du symbole que peut revêtir une tenue vestimentaire arborée par un élève, ce refus étant justifié par le respect du principe de laïcité.

Ainsi, le problème de la liberté individuelle de l'élève et du libre choix de porter le signe religieux n'est-il jamais évoqué. C'est ce que constate le commissaire du gouvernement M. Michel Bouleau, dans ses conclusions sur le jugement du 10 juillet 1996 *Kherouaa* du tribunal administratif de Paris : « *Nous ne comprenons pas ce refus de principe de donner un sens au port d'un insigne au motif qu'il serait religieux. Donner du sens est ce que fait tous les jours un juge, un sens à un mot, à une parole, un sens à un comportement, et c'est dans la nature même de l'acte de juger. (...) vous êtes donc tout à fait fondés à chercher, et à dire le cas échéant, ce que signifie un symbole religieux, ce qu'il signifie pour ceux qui l'arborent et ce qu'il signifie pour ceux qui le perçoivent.* »

Refuser d'interpréter la signification du port de signes religieux, n'est-ce pas s'interdire de prohiber le port de signes religieux lorsque celui-ci porte atteinte à la dignité de la personne ou à la liberté de l'élève ?

On peut, en effet, s'interroger sur la liberté réelle des jeunes filles de porter le voile. Les auditions menées par la mission ont clairement montré que leur choix n'est pas toujours libre.

Ainsi, Mme Roudinesco, psychanalyste, a parlé[1] de « *servitude volontaire (...) même chez des adolescentes de 14 ans* ».

Lors de son audition, Mlle Kaïna Benziane[2] a expliqué la contrainte très forte qui pèse sur les jeunes filles : « *Il faut savoir ce que l'on entend par "libre" quand une jeune fille décide de porter le voile. Je me réfère toujours à mon cas qui n'est certainement pas représentatif. À certains moments, je me dis que si je porte le voile, on me laissera tranquille et je pourrai me consacrer à Dieu (...). Plusieurs facteurs indirects peuvent entrer en ligne de compte dans la décision de ces jeunes filles. Même si personne ne les a obligé directement à le porter, elles l'ont fait pour être tranquilles, pour éviter les regards de telle ou telle personne, en raison de la religion qui domine dans la cité, car il est extrêmement bien vu pour une jeune fille de porter le voile dans les cités, tant par la famille que par le "tribunal social". Toutefois, certaines jeunes filles comme moi ne veulent pas porter le voile. Celles qui sont voilées, mais pas toutes, nous narguent et nous font comprendre que, parce qu'elles portent le voile, elles sont de bonnes musulmanes, qu'elles iront au paradis alors que les autres sont des mécréantes. Pour moi, c'est une agression.* »

Devant une telle difficulté d'application du cadre légal, il arrive que certains chefs d'établissement ne sanctionnent pas les élèves, de peur d'une annulation contentieuse. Cela constitue autant d'atteintes portées au principe de laïcité.

B.– LA CRÉATION D'UN « DROIT LOCAL » POUR L'EXERCICE D'UNE LIBERTÉ FONDAMENTALE

Le régime juridique actuel distingue donc le port de signes religieux – qui, on l'a vu, est autorisé – et le port « ostentatoire » de signes religieux, qu'il appartient aux autorités locales d'interdire. Or il apparaît extrêmement difficile de déterminer ce qu'est un port ostentatoire.

---

[1] Audition du 11 juin 2003
[2] Audition du 8 octobre 2003

M. Rémy Schwartz, maître des requêtes au Conseil d'État, lors de son audition[1] a reconnu les difficultés rencontrées pour définir la notion : « *J'ai conclu à plusieurs reprises sur cette question et j'ai avoué, à titre personnel, ma difficulté pour apprécier ce qui est ostentatoire. Il faut sans doute faire appel au bon sens : une tenue islamique telle la burka serait bien évidemment considérée comme ostentatoire, mais il y a, au-delà, des marges entre la burka et le port d'un petit signe religieux. La jurisprudence étant lacunaire sur ce point, je suis incapable de vous dire, en l'état de la jurisprudence, ce qui est regardé ou non comme ostentatoire.* »

L'encadrement du port de signes religieux relevant des chefs d'établissement, ceux-ci sont amenés à définir, eux-mêmes, ce qui est ostentatoire et à mettre en œuvre des compromis dont la validité juridique reste aléatoire.

Les solutions pour les chefs d'établissement sont extrêmement diverses. Face à une situation de crise, ils sont amenés à accepter le port du voile en bandeau (laissant apparaître les cheveux des jeunes filles), le port de signes religieux dans la cour de récréation mais pas en classe, à tolérer le port de foulard de couleur ou blanc : on assiste ainsi à l'émergence d'un véritable « *droit local* ».

Ce constat est partagé aussi bien par les chefs d'établissement que par les responsables politiques.

Auditionné par la mission, M. Pierre Coisne[2], principal du collège Auguste-Renoir d'Asnières (Hauts de Seine), a constaté « *je dirais qu'il existe une variété de situations qui nous entraînent vers une variété de réponses, nous incitent au louvoiement et conduisent à un droit local. Les autorités de l'Éducation nationale nous incitent à opérer un droit à géométrie variable, le danger étant qu'il faut adapter à chaque fois les règles aux situations en raison du rapport de force tant avec les familles qu'avec le corps enseignant.* »

Lors de son audition par la mission[2], Mme Micheline Richard, proviseure du lycée Ferdinand Buisson d'Ermont (Val d'Oise) a expliqué de la même façon : « *Une de mes jeunes filles portait un voile noir en début d'année. J'ai demandé conseil à une de mes collègues. Elle m'a répondu :* « *chez moi, elles mettent un foulard avec des fleurs. Je ne veux ni du noir, ni du blanc.* » *Pourquoi du noir, du blanc ou des fleurs ?* » De même, Mme Thérèse Duplaix, proviseure du lycée Turgot de Paris IIIe, a affirmé[2] : « *La loi est un cadre. Actuellement, nous n'avons pas de cadre, ce qui autorise tous les petits arrangements et fait que nous naviguons entre le noir, les fleurs et autres compromis.* »

---

[1] Audition du 11 juin 2003
[2] Audition du 1er juillet 2003

Interrogé par la mission, M. Xavier Darcos, ministre délégué à l'enseignement scolaire[1] a repris le terme : « *On voit apparaître une sorte de droit local. Les chefs d'établissement doivent faire du cas par cas. Ici, ils tolèrent le bandeau, là ils ne disent rien et s'arrangent, aménagent un peu les cours, à l'image de certains maires qui ouvrent les piscines à tel moment pour qu'il n'y ait que les musulmans, à tel moment pour qu'il y ait tel autre groupe. On arrive à une sorte de « bricolage » réglementaire local qui, si l'on n'y prend pas garde, installera une sorte de confusion par rapport au principe que nous voulons affirmer.* »

Le système juridique actuel conduit donc à subordonner les conditions d'applications d'une liberté fondamentale, à des circonstances locales et à une pluralité de décideurs. Cette situation n'est pas satisfaisante.

Alors que le principe de laïcité est en cause, et donc la capacité de l'école à préserver un espace protégé, à l'abri des pressions communautaristes, les chefs d'établissement ont le sentiment d'établir des compromis fragiles, voire de « reculer » face aux revendications identitaires.

Légiférer sur le port de signes religieux à l'école ne vise donc pas à rendre plus « facile » la situation des chefs d'établissement confrontés à des revendications identitaires, mais à éviter de fabriquer des compromis peu satisfaisants et précaires pour l'application d'un principe aussi fondamental que le principe de laïcité.

Votre Président considère qu'on ne peut se contenter de ce « bricolage réglementaire local », alors que le port de signes religieux constitue parfois un « test » des valeurs républicaines et du principe de laïcité.

C.– LES ÉLÈVES NE DOIVENT PAS ÊTRE TRAITÉS COMME DE SIMPLES USAGERS DU SERVICE PUBLIC DE L'ÉDUCATION NATIONALE

1.– Les élèves ne sont pas de simples usagers du service public

Le régime juridique actuel crée une distinction regrettable entre la situation des élèves et celles des enseignants. Certes, les enseignants, en tant qu'agents de la fonction publique, doivent respecter certaines obligations. Mais les élèves font eux aussi partie de la « communauté éducative » et, surtout, ils font, à l'école, l'apprentissage de la citoyenneté et du « vivre ensemble ». Les élèves ne sont pas de simples usagers du service public, ils sont des individus en construction dans une institution dont la mission est de les former.

---

[1] Audition du 12 novembre 2003

Lors de son audition par la mission, M. Michel Bouleau[1], magistrat près du tribunal administratif de Paris a ainsi affirmé : « *La position actuelle du Conseil d'État repose sur cette division, avec d'un côté l'usager, et de l'autre, les agents du service public. Personnellement, je trouve cette division trop simple, voire trop grossière, car elle oublie une autre catégorie : les collégiens et les lycéens. En effet, les élèves ne sont pas dans le même rapport avec le service public que les usagers de la Poste, par exemple. On attend des usagers dans un bureau de la Poste de respecter un certain silence, l'ordre d'arrivée et de ne pas fumer. (...) Par ailleurs, l'école n'est pas un espace public neutre comme peut l'être un bureau de poste. Elle s'inscrit dans un ordre public qui est celui de la République, et dans lequel certaines valeurs ont un caractère plus prégnant que dans la plupart des services publics. Cela peut justifier, à mon sens, que l'on donne, y compris s'agissant des élèves, une portée beaucoup plus contraignante au principe de laïcité, allant jusqu'à lui donner la signification d'une obligation absolue de cacher son appartenance religieuse, et pour les enseignants de faire l'effort de méconnaître l'appartenance religieuse des élèves. C'est cette approche qui suppose que l'appartenance religieuse des élèves ne soit pas immédiatement apparente.* »

2.– En tant que membres de la communauté éducative, les élèves peuvent se voir imposer des obligations propres au service public de l'éducation nationale

Pourquoi dans le cadre spécifique que constitue l'école, l'élève ne devrait-il pas respecter une obligation de neutralité, permettant ainsi un apprentissage plus aisé du « vivre ensemble » ?

Certes, les élèves se sont vu reconnaître l'exercice de libertés fondamentales par la loi du 10 juillet 1989. Cependant, le système juridique actuel prévoit des limites : ces droits doivent être conciliés avec certaines règles nécessaires au bon fonctionnement du service public de l'enseignement, qui peuvent être synthétisées dans la notion « d'ordre public scolaire ».

Ainsi, l'obligation d'assiduité peut venir contraindre la liberté d'exercer son culte, comme l'a montré le Conseil d'État dans les arrêts *Consistoire des israélites de France et autres* et *Koen*[2] du 14 avril 1995. Or c'est bien l'exercice du culte lui-même qui était en cause (respect du commandement du repos le samedi), et qui a été limité.

---

[1] Audition du 1er octobre 2003
[2] Conseil d'État, Assemblée, 14 avril 1995, Consistoire des israélites de France et autres, et Koen

On peut considérer que les justifications théoriques et juridiques de cette jurisprudence sont les suivantes[1] : l'obligation d'assiduité est une règle inhérente à la vie de la communauté éducative, y déroger comporte le risque de se voir développer des emplois du temps « à la carte ». Permettre des dérogations porte atteinte au bon fonctionnement du service public de l'éducation. L'obligation d'assiduité ne saurait donc s'accommoder d'une dérogation systématique.

Ne peut-on pas considérer que le bon fonctionnement des établissements scolaires et le principe la laïcité, principe de valeur constitutionnelle, puissent aussi justifier, comme l'obligation d'assiduité, une limitation de la liberté des élèves de manifester leurs convictions religieuses ?

Le Conseil d'État a déjà admis des limites à la libre expression des convictions par les élèves. Il a ainsi considéré, dans un arrêt *Rudent* du 8 novembre 1985, qu'était incompatible avec le principe de neutralité, l'organisation de réunions dans les lycées par des groupements politiques[2] Certes, cet arrêt est antérieur à la loi d'orientation sur l'éducation du 10 juillet 1989 qui a réaffirmé la liberté d'expression des élèves. Cependant, le juge administratif n'a pas, pour l'instant, remis en cause cette jurisprudence. Les commentateurs de l'arrêt *Rudent* justifiaient ainsi cette jurisprudence[3] : « *Pour bien comprendre comment un principe général relatif au fonctionnement du service public peut, en l'espèce, affaiblir une liberté reconnue à des personnes – les élèves – qui sont des usagers et non pas des agents de ce service, il faut considérer deux points : d'une part, la présence des élèves dans l'établissement scolaire et les activités qui, de leur fait, s'y déroulent, ne peuvent pas être dissociées du fonctionnement de l'établissement, d'autre part, les élèves sont, en tout état de cause, directement associés au service public de l'enseignement, dès lors qu'ils appartiennent à la « communauté scolaire. »*

La différence de traitement entre les manifestations de convictions religieuses et politiques est-elle tout à fait justifiée ? Peut-on encore réellement considérer, compte tenu du contexte nouveau de la laïcité et des nouvelles formes de revendications identitaires, que les manifestations d'appartenance religieuse ne sont pas des actes de prosélytisme ?

---

[1] On se reportera à cet égard aux conclusions du commissaire du gouvernement Yann Aguila sur les arrêts Conseil d'État, Assemblée, 14 avril 1995, Consistoire des israélites de France et autres, et Koen
[2] Conseil d'État, 8 novembre 1985, Ministre de l'éducation nationale c/ Rudent
[3] Mme Sylvie Hubac et M. Michel Azibert, maîtres des requêtes au Conseil d'État « Actualité juridique - Droit administratif », 20 décembre 1985

Dans la mesure où le port de signes religieux porte atteinte au principe de neutralité de l'espace scolaire, il apparaît légitime de considérer qu'un certain devoir de réserve soit imposé aux élèves, membres de la « communauté éducative », afin de permettre une garantie plus forte du principe de laïcité, c'est-à-dire du respect, par tous, des croyances de chacun.

D.– DES RESTRICTIONS À L'EXERCICE D'UNE LIBERTÉ FONDAMENTALE DÉPOURVUES DE FONDEMENT LÉGISLATIF

On rappellera que seule la jurisprudence encadre le port de signes religieux à l'école. En effet, le Conseil d'État, notamment dans un arrêt *association Un Sysiphe* du 10 juillet 1995, a considéré que les circulaires du ministère de l'éducation nationale se contentaient de rappeler le droit existant et avaient donc une simple valeur interprétative. Par conséquent, les limites juridiques posées au port de signes religieux à l'école reposent simplement sur une base jurisprudentielle : elles sont dépourvues de fondement législatif.

Ce système semble peu compatible avec les prescriptions de la Convention européenne des droits de l'homme et de sauvegarde des libertés fondamentales qui impose – on l'a vu – que les restrictions à l'exercice d'une liberté fondamentale aient une base légale. De plus, selon la Cour européenne des droits de l'homme, cette base légale doit être claire et prévisible.

Lors de son audition par la mission, M. Michele De Salvia[1], jurisconsulte auprès de la Cour européenne des droits de l'homme a précisé : « *Pour que cette ingérence soit autorisée par la convention, il faut qu'elle ait une base légale. Je plaiderais donc plutôt en faveur de cette base, si le système devait s'inscrire, bien évidemment, dans le cadre de l'interdiction. (...) La base légale, selon la jurisprudence, n'est pas seulement la loi mais toute disposition ayant une valeur législative. (...) La jurisprudence pose cependant d'autres conditions. Il faut que la loi soit accessible et prévisible, c'est-à-dire que le comportement soit prévisible et qu'elle ait une certaine qualité.* »

La Cour européenne des droits de l'homme admet, dans sa jurisprudence, des bases, ayant valeur égale à la loi, c'est-à-dire parfois des normes réglementaires ou jurisprudentielles. Cependant, les normes juridiques encadrant actuellement le port de signes religieux en France ne semblent ni « accessibles », ni « prévisibles » et surtout, s'agissant de l'exercice d'une liberté publique, la loi est nécessaire en droit français.

---

[1] Audition du 7 octobre 2003

Fragile sur le plan des principes et délicat dans sa mise en œuvre, le système juridique actuel montre aussi ses limites sur le plan du droit international. L'intervention du législateur apparaît donc justifiée.

QUATRIÈME PARTIE : POUR UNE RÉAFFIRMATION PAR LA LOI DU PRINCIPE DE LA LAÏCITÉ À L'ÉCOLE

L'école apparaît, pour les membres de la mission, comme un des lieux où la fragilisation du principe de laïcité se manifeste aujourd'hui avec le plus de conséquences. Restaurer le respect par tous de la neutralité de l'espace scolaire implique donc que soit interdit le port, par les élèves, de signes religieux à l'école.

L'école ne doit plus être la scène privilégiée des revendications identitaires et politiques car elle est un lieu essentiel de formation du citoyen et d'apprentissage de la tolérance par le savoir.

I.– RESTAURER PAR LA LOI LE RESPECT, PAR TOUS, DE LA NEUTRALITÉ DE L'ESPACE SCOLAIRE

Pour la très grande majorité des membres de la mission, la réaffirmation du principe de laïcité à l'école doit prendre la forme d'une disposition législative qui interdira expressément le port visible de tout signe d'appartenance religieuse et politique dans l'enceinte des établissements scolaires. Il pourra s'agir soit d'un projet de loi, soit d'une proposition de loi spécifique, soit d'un article ou d'un amendement inséré dans un texte global concernant l'école.

A.– L'INTERDICTION LÉGALE DU PORT VISIBLE DE SIGNES RELIGIEUX ET POLITIQUES DANS LES ÉTABLISSEMENTS SCOLAIRES

1.– Le régime juridique de l'exercice d'une liberté : une compétence du législateur

L'intervention du législateur est justifiée sur le plan juridique et nécessaire sur le plan des principes.

Le régime juridique de l'exercice d'une liberté fondamentale relève de la compétence du législateur. En effet, en vertu de l'article 34 de la Constitution du 4 octobre 1958, « *la loi fixe les règles concernant les droits civiques et les garanties fondamentales accordées aux citoyens pour l'exercice des libertés publiques* ». Par conséquent, l'encadrement juridique du port de signes religieux relève bien de la compétence du législateur. Celle-ci résulte également de l'article 9 de la Convention européenne des droits et de l'homme et de sauvegarde des libertés fondamentales.

À titre d'exemple, une position analogue a été retenue par le juge constitutionnel allemand. La compétence exclusive du législateur pour encadrer le port de signes religieux à l'école a ainsi été récemment rappelée par la Cour constitutionnelle allemande de Karlsruhe dans une décision du

24 septembre 2003. Dans une affaire concernant le port de signes religieux par une enseignante, la Cour a affirmé qu'il « *n'incombe pas à l'exécutif de donner une réponse à des phénomènes de société en pleine mutation, c'est au législateur qui jouit de la légitimité démocratique de fournir la réglementation nécessaire* ». L'éducation étant du ressort des *Länder*, elle a conclu que c'est au pouvoir législatif des *Länder* qu'il appartient de décider s'il convient, ou non, d'interdire le port du foulard.

La publication d'une nouvelle circulaire visant à préciser le cadre juridique existant, comme cela est proposé par ceux qui sont hostiles au recours à la loi, ne serait donc pas suffisante : ou bien elle reprendrait la lettre de la jurisprudence du Conseil d'État et serait considérée comme purement interprétative et dépourvue de valeur normative, ou bien elle se montrerait plus restrictive sur la liberté de porter des signes religieux à l'école, et risquerait la censure du Conseil d'État.

De même, inscrire dans la loi, une disposition obligatoire, devant figurer dans les règlements des établissements scolaires et imposant que les élèves ne se présentent pas dans l'enceinte de l'établissement la tête couverte, ne semble pas pleinement satisfaisant car le règlement du problème resterait local. De plus, cette disposition risquerait de provoquer des discriminations entre les différents signes d'appartenance religieuse.

Surtout, l'intervention du législateur est nécessaire pour permettre une réaffirmation politique et symbolique du principe de laïcité à l'école.

L'école n'est plus un milieu protégé. Elle apparaît de plus en plus comme un lieu d'expression de toutes les difficultés de notre société : incivilités, violence, discriminations, prosélytismes, ce qui n'est pas son rôle.

À l'issue de ces auditions, votre Président a acquis la conviction, partagée par tous les membres de la mission, qu'il est impératif d'agir rapidement en interdisant le port des signes religieux et politiques à l'école. La plupart des membres de la mission ont le sentiment que le silence du législateur, ses hésitations, ses divisions sur ce sujet seront interprétés par une large part de l'opinion comme un aveu de faiblesse et un signe d'impuissance qui ne fera qu'accentuer l'attractivité des thèses extrémistes et les dérives communautaristes.

La question de la laïcité dépasse le cadre de l'école car, si celle-ci est aujourd'hui en première ligne en matière de laïcité à cause de son rôle spécifique de formation des citoyens, et s'il convient donc d'agir de façon symbolique sur cet aspect primordial du problème, celui-ci s'étend maintenant à d'autres secteurs, tels que les services publics, mais également le monde des entreprises.

2.- L'interdiction du port « visible » de signes religieux et politiques dans les établissements scolaires

L'intervention du législateur apparaît nécessaire pour définir un cadre juridique permettant une application cohérente du principe de laïcité dans les établissements scolaires. Celle-ci marquera la volonté de la représentation nationale d'affirmer que l'école est une communauté spécifique où les principes de neutralité et de laïcité doivent être garantis.

Dans ce but, il est proposé d'introduire une disposition législative, brève, simple, claire, le moins possible sujette à interprétation, posant le principe de l'interdiction du port visible de tout signe religieux et politique dans l'enceinte des établissements scolaires.

Dans l'espace scolaire, la liberté d'expression reconnue aux élèves par l'article 10 de la loi du 10 juillet 1989 (article L. 511-2 du code de l'éducation) doit, en effet, trouver ses limites dans le respect du pluralisme et du bon fonctionnement des activités d'enseignement et les limites de cette liberté, au regard du bon fonctionnement du service public, doivent être précisées.

L'interdiction du port « visible » des signes religieux et politiques dans les établissements scolaires signifie que ne seraient plus seulement prohibés les signes « ostentatoires », dont il était, jusqu'à présent, très difficile de circonscrire le périmètre, mais tout signe que l'œil peut voir.

Après de nombreux débats – et sensibles aux difficultés résultant du régime juridique en vigueur, telles qu'elles ont été précédemment développées –, les membres de la mission ont considéré qu'il fallait non seulement réaffirmer le principe de laïcité dans la loi mais également trouver un critère objectif, qui ne maintienne pas les incertitudes actuelles liées au caractère « ostentatoire » de certains signes religieux.

Par la solution retenue, les membres de la mission ont également souhaité éviter tout critère susceptible de provoquer des discriminations entre signes religieux.

Le qualificatif de « visible », parfaitement objectif, permettra une application plus aisée de la règle par les chefs d'établissement, sans pour autant exclure le port de signes, dès lors qu'ils ne sont pas apparents. Il écarte également toute distinction entre les différents signes religieux.

L'extension de cette interdiction au port des signes politiques répond, par ailleurs, au souci, d'une part, de prendre en compte le fait que le port de signes religieux peut parfois revêtir une signification politique, comme on l'a vu, et d'autre part, de viser d'autres comportements également perturbateurs et contraires à la neutralité de l'espace scolaire. De plus, il est apparu nécessaire d'interdire tout port de signes religieux qui constitue une atteinte aux droits de la femme, et qui révèle, dès lors, une certaine conception politique de la place de la femme dans la société.

L'interdiction est destinée à s'appliquer dans l'« enceinte » des établissements, c'est-à-dire dans tout l'espace scolaire, sans distinction de zones. Cette question a fait l'objet de discussions au sein de la mission, certains témoins ayant envisagé d'établir une distinction entre la salle de classe, où tout port de signes religieux aurait été interdit et d'autres zones comme la cour, où il aurait été autorisé.

La mission a considéré qu'on ne peut faire de distinctions entre la salle de classe et les autres espaces de l'école lorsqu'est en cause la neutralité de l'espace scolaire. Par ailleurs, une interdiction à l'ensemble de l'établissement – règle simple et claire – est nécessaire pour permettre une application plus aisée par les chefs d'établissement.

B.– UN DISPOSITIF LÉGISLATIF QUI GARANTIT UN JUSTE ÉQUILIBRE ENTRE LIBERTÉ DE RELIGION ET PRINCIPE DE LAÏCITÉ DANS LE RESPECT DE LA CONSTITUTION ET CONFORME AU DROIT INTERNATIONAL

1.– Un dispositif législatif qui garantit un juste équilibre entre liberté de religion et principe de laïcité dans le respect de la Constitution

Ce nouveau dispositif devrait permettre de conforter le principe constitutionnel de laïcité, dont l'importance sera ainsi réaffirmée. C'est en préservant un espace scolaire neutre, à l'abri des pressions communautaires et du prosélytisme religieux ou politique, que le législateur protégera au mieux les convictions de chacun. Le juste équilibre entre liberté de religion et principe de laïcité sera ainsi consolidé.

Certains commentateurs ont justifié leur opposition à l'intervention du législateur par un risque de censure du Conseil constitutionnel.

En vertu de l'article 34 de la Constitution, le législateur est seul compétent pour déterminer le régime des libertés publiques, et pour concilier leur exercice avec d'autres principes constitutionnels.

En effet, lorsqu'il s'agit d'une liberté fondamentale, le Conseil constitutionnel admet l'intervention du législateur pour en réglementer l'exercice en vue de deux objectifs : soit la rendre plus effective, soit la concilier avec d'autres règles ou principes de valeur constitutionnelle. Ce principe a été affirmé très clairement dans une décision « *entreprises de presse* » du 10 octobre 1984[1] : « *S'agissant d'une liberté fondamentale, d'autant plus précieuse que son exercice est l'une des garanties essentielles du respect des autres droits et libertés et de la souveraineté nationale, la loi ne peut en réglementer l'exercice qu'en vue de le rendre plus effectif ou de le concilier avec celui d'autres règles ou principes de valeur constitutionnelle.* »

Le Conseil constitutionnel admet donc très clairement dans cette décision la possibilité pour le législateur de restreindre l'exercice d'une liberté fondamentale pour assurer la réalisation d'un objectif constitutionnel : « *S'il est loisible au législateur, lorsqu'il organise l'exercice d'une liberté publique en usant des pouvoirs que lui confère l'article 34 de la Constitution, d'adopter pour l'avenir, s'il l'estime nécessaire, des règles plus rigoureuses que celles qui étaient auparavant en vigueur, il ne peut, s'agissant de situations existantes intéressant une liberté publique, les remettre en cause que dans deux hypothèses : celle où ces situations auraient été illégalement acquises ; celle où leur remise en cause serait réellement nécessaire pour assurer la réalisation de l'objectif constitutionnel poursuivi.* »

Ainsi dans plusieurs décisions, le Conseil constitutionnel a-t-il rappelé qu'il appartenait au législateur de concilier l'objectif constitutionnel de sauvegarde de l'ordre public et l'exercice des libertés publiques constitutionnellement garanties[2] : il a admis que certaines limites puissent être apportées à des libertés publiques, comme la liberté d'aller et de venir ou le droit au respect de la vie privée, pour mieux garantir la sécurité des personnes et de biens. C'est ainsi que dans une décision du 18 janvier 1995, sur la loi d'orientation et de programmation relative à la sécurité, le Conseil constitutionnel n'a pas censuré les mesures concernant les systèmes de vidéo surveillance. Cette position a été réaffirmée récemment dans la décision n°2003–467 du 13 mars 2003 relative à la loi pour la sécurité intérieure[3].

Dans notre cas, l'intervention du législateur a pour objectif de

---

[1] Décision n° 84-181 DC du 10 octobre 1984 relative à la loi visant à limiter la concentration et à assurer la transparence financière et le pluralisme des entreprises de presse

[2] Décision n° 94–352 du 18 janvier 1995, loi d'orientation et de programmation relative à la sécurité

[3] Le Conseil Constitutionnel a ainsi indiqué dans la décision du 13 mars 2003 relative à la loi pour la sécurité intérieure « Considérant qu'il appartient au législateur d'assurer la conciliation entre, d'une part, la prévention des atteintes à l'ordre public et la recherche des auteurs d'infractions, toutes deux nécessaires à la sauvegarde de droits et de principes de valeur constitutionnelle, et, d'autre part, l'exercice des libertés constitutionnellement garanties ».

concilier la liberté de religion avec le principe constitutionnel de laïcité consacré à la fois par le Préambule de la Constitution du 27 octobre 1946, qui affirme « *l'organisation de l'enseignement laïque et gratuit est un devoir d'État* », et par l'article premier de la Constitution du 4 octobre 1958 qui dispose que « *la France est une République indivisible, laïque, démocratique et sociale* ». Il s'agit donc bien de garantir deux principes constitutionnels.

De même, le dispositif législatif a pour objectif de permettre l'application uniforme d'une liberté fondamentale, la liberté de religion, dans l'ensemble des établissements scolaires et donc de garantir le principe constitutionnel d'égalité. La nécessité pour le législateur de garantir un exercice uniforme sur le territoire d'une liberté publique a été rappelée explicitement par le Conseil constitutionnel dans une décision du 13 janvier 1994[1].

En outre, pour estimer l'ampleur de l'atteinte portée à l'exercice d'une liberté fondamentale, le Conseil constitutionnel prend en compte l'environnement global qui permet l'exercice de cette liberté. Ainsi, s'agissant de la liberté de religion, l'interdiction du port de signes religieux et politiques ne remet pas en cause le libre exercice du culte, en dehors des heures de cours. De même, les aumôneries constituent des « lieux de spiritualité » au sein des écoles et permettent aux élèves d'exprimer leur foi. Dans ce contexte, la liberté de conscience des élèves semble pleinement préservée.

Interrogé sur la conformité à la Constitution d'une intervention du législateur, M. Rémy Schwartz[2] maître des requêtes au Conseil d'État a répondu : « *Je n'en sais rien puisque nous n'avons pas d'indications sur ce point. Dès lors que l'environnement respecte les convictions des uns et des autres, qu'il existe notamment des services d'aumônerie qui permettent à chacun – et il faudrait que chacun puisse vraiment bénéficier de services d'aumônerie – d'exercer sa foi, je pense, à titre personnel, qu'il n'y aurait pas nécessairement d'obstacles constitutionnels, sur le terrain de la liberté de conscience, à ce que temporairement, dans le cadre du service public, c'est-à-dire dans ce cadre limité, les élèves ne puissent porter un signe religieux. Le Conseil constitutionnel l'admettrait peut-être.* »

Enfin, il convient de souligner que la restriction apportée à la libre manifestation des convictions religieuses reste strictement limitée et proportionnée au but recherché : l'interdiction n'est en rien absolue puisqu'elle est limitée à l'enceinte de l'établissement.

---

[1] Décision n° 93–329 DC du 13 janvier 1994, loi relative aux conditions de l'aide aux investissements des établissements d'enseignement privés par les collectivités territoriales.
[2] Audition du 11 juin 2003

2.– Un dispositif législatif conforme aux engagements internationaux de la France

Un dispositif législatif interdisant le port de signes religieux et politiques à l'école serait-il compatible avec l'article 9 de la Convention européenne des droits de l'homme et de sauvegarde des libertés fondamentales ?

La compatibilité d'un dispositif législatif pourrait se poser à l'occasion d'une requête individuelle devant la Cour européenne des droits de l'homme, après épuisement de toutes les voies de recours internes.

De plus, la jurisprudence, depuis l'arrêt *Nicolo* du Conseil d'État du 20 octobre 1989[1], admet qu'il appartient au juge administratif de contrôler la compatibilité avec les traités internationaux des lois, même postérieures. Celui-ci pourrait donc écarter l'application d'une disposition qui méconnaîtrait la Convention européenne des droits de l'homme.

Selon la jurisprudence de la Cour européenne des droits de l'homme, une mesure restreignant la liberté de manifester ou de pratiquer sa religion n'est compatible avec la Convention que si trois conditions sont remplies : la mesure doit être prévue par la loi, elle doit poursuivre un but légitime et être nécessaire et proportionnée au but poursuivi.

L'intervention du législateur respecterait les deux premières conditions, comme cela a déjà été précédemment souligné.

C'est donc le caractère proportionné de l'interdiction par rapport à l'objectif poursuivi – la garantie de la laïcité et de la neutralité de l'école – qui constitue le cœur de la problématique.

Comme l'a observé M. Ronny Abraham, directeur des Affaires juridiques du ministère des Affaires étrangères[2], il est difficile de déterminer quelle serait la position de la Cour sur le caractère proportionné de l'interdiction : « *Incontestablement, une telle législation répondrait à la première des trois exigences de la convention européenne des droits de l'homme : l'exigence que toute mesure restrictive soit prévue par la loi, car on aurait là une règle législative parfaitement claire, précise, impérative. (...) En revanche, la question qui se poserait alors serait de savoir si une telle législation répondrait à la troisième des conditions : l'exigence de proportionnalité. (...) J'entends bien qu'il ne s'agit pas d'interdire partout et en toutes circonstances ; il s'agit de protéger la neutralité de l'enseignement public. Même avec cette restriction de localisation, il est*

---

[1] Conseil d'État, 20 octobre 1989, Nicolo
[2] Audition du 5 novembre 2003

très difficile de prévoir – je vais bien sûr vous décevoir – ce que la Cour de Strasbourg jugerait en pareil cas. »

En revanche, M. Michele De Salvia[1], jurisconsulte auprès de la Cour européenne des droits de l'homme, lors de son audition par la mission a affirmé « *Si on légifère, je ne peux que dire qu'un État qui s'appuie sur le principe de laïcité – puisque, en filigrane, c'est lui qui est en cause –, n'encourrait, je pense, aucune sanction de la part de la Cour européenne des droits de l'homme. C'est, en effet, un principe sur lequel la Cour elle-même s'est déjà appuyée à plusieurs reprises.* »

Les différentes auditions menées par la mission pour répondre à cette question n'ont pu déterminer avec précision quelle serait la position de la Cour européenne des droits de l'homme. Cependant, elles ont mis en évidence certains éléments de jurisprudence qui semblent pouvoir justifier la compatibilité de l'intervention du législateur avec la Convention européenne des droits de l'homme.

En premier lieu, la jurisprudence de la Cour est en réalité, moins libérale qu'on ne l'affirme parfois, en matière de liberté religieuse[2].

En effet, la Cour laisse d'abord une grande marge d'appréciation au législateur national car, comme elle le relève dans une décision *Wingrove*[3], « *ce qui est de nature à offenser gravement les personnes d'une certaine croyance religieuse varie fort dans le temps et l'espace, spécialement à notre époque caractérisée par une multiplicité croissante des croyances et des confessions* ».

Ensuite, la jurisprudence européenne admet le caractère relatif de la liberté religieuse : celle-ci doit céder devant le respect des lois et règlements relatifs, par exemple, au respect du service militaire (CEDH, 12 décembre 1996, *Grandath c/RFA*) ou de la fiscalité (CEDH, 15 décembre 1983, *C. c/ Royaume –Uni*[4]).

Enfin, en matière scolaire, la Cour tient compte de l'existence de solutions de rechange. Il est possible de restreindre certaines manifestations de la liberté religieuse, dès lors que la diversité du système éducatif dans son ensemble offre la possibilité à l'intéressé d'exercer librement sa religion dans un autre établissement scolaire. Ainsi, la Cour a considéré dans un arrêt

---

[1] Audition du 7 octobre 2003
[2] Comme l'a très bien montré Yann Aguila, commissaire du gouvernement dans ses conclusions sur les arrêts du 14 avril 1995, Consistoire des israélites de France et autres, et Koen.
[3] CEDH, 25 novembre 1996, Wingrove c/ Royaume-Uni.
[4] A propos d'un quaker refusant de contribuer aux dépenses militaires.

Kjeldsen du 7 décembre 1976, que le refus de dispense de cours d'éducation sexuelle demandée par une famille ne méconnaissait pas l'article 9 de la Convention.

Ainsi, dès lors que l'interdiction du port de signes religieux ne fait pas obstacle à ce que les élèves exclus puissent suivre des enseignements à distance ou dans un autre établissement, et laisse donc une possibilité de choix aux élèves, elle pourrait ne pas être contraire à l'article 9 de la Convention, tel qu'interprété par la Cour.

De plus, la jurisprudence de la Cour européenne prend en compte la notion de laïcité.

C'est ce qu'a souligné M. Michele De Salvia[1], jurisconsulte auprès de la Cour européenne des droits de l'homme, lors de son audition par la mission : « *Il est une affaire extrêmement importante dont on peut dire, en quelque sorte, qu'elle consacre ce principe de laïcité : l'affaire du parti de l'ancien Premier ministre de Turquie, le Refah qui a été jugé contraire à la Constitution par la Cour constitutionnelle turque. Ledit parti s'est adressé à la Cour en soutenant que cette interdiction violait à la fois la liberté d'association et la liberté de religion. La Cour, a rendu cet arrêt de grande Chambre qui est la formation la plus large de la Cour : « Les organes de la convention ont estimé que le principe de laïcité était assurément l'un des principes fondateurs de l'État, qui cadre avec la prééminence du droit et le respect des droits de l'homme et de la démocratie. Une attitude ne respectant pas ce principe ne sera pas nécessairement acceptée comme faisant partie de la liberté de manifester sa religion et ne bénéficiera pas de la protection qu'assure l'article 9 de la Convention.* »

Par conséquent, on peut supposer que l'objectif poursuivi par le législateur de garantir le principe de neutralité et de laïcité de l'espace scolaire serait pris en compte par la Cour européenne.

Une incertitude demeure pourtant sur la portée et la signification donnée au principe de laïcité par la Cour.

Interrogé par la mission sur la jurisprudence de la Cour européenne, M. Rémy Schwartz[2], maître des requêtes au Conseil d'État, a répondu : « *La jurisprudence de la Cour européenne des droits de l'homme est très lacunaire en ce qui concerne les élèves, les usagers du service public de l'éducation, et elle est, sans doute, de peu de secours. L'interrogation demeure donc. La Cour, qui a quand même une logique*

---

[1] Audition du 7 octobre 2003
[2] Audition du 11 juin 2003

relativement laïque au regard de l'ensemble de sa jurisprudence, admettrait peut-être que soit interdit tout port de signes religieux dans le cadre du service public de l'éducation, dès lors qu'il existe une possibilité de suivre des enseignements parallèles, des enseignements religieux, voire des enseignements à distance. »

En ce qui concerne la jurisprudence de la Cour sur le port de signes religieux, aucune décision ne permet, pour l'heure, de trancher clairement la question de la compatibilité avec l'article 9 de la Convention, de l'interdiction qui serait faite aux élèves de porter des signes religieux et politiques à l'école.

S'agissant du port, par un usager du service public, d'un signe religieux, la Cour a toutefois examiné le cas d'une étudiante turque sanctionnée pour s'être présentée voilée dans une université laïque en Turquie. La Cour européenne a confirmé la sanction des tribunaux nationaux. Cependant, cette décision apparaît très spécifique, puisque la Cour a relevé dans ses motifs que l'intéressée avait fait le choix d'aller dans le service public, ce qui voulait dire qu'elle avait la possibilité de suivre un enseignement supérieur privé religieux. De plus, la Cour a relevé qu'en Turquie, il était sans doute nécessaire d'interdire le port du voile pour protéger les minorités dans ce pays musulman. Sans doute peu transposable à la France, il s'agit, par conséquent, d'une véritable décision d'espèce.

Rappelons qu'une requête déposée par une élève infirmière turque, renvoyée de son école pour avoir refusé de retirer son foulard, a été déclarée recevable par la Cour européenne des droits de l'homme dans une décision en date du 2 juillet 2002. la Cour ne s'est pas encore prononcée sur le fond de l'affaire. Certes, ce cas d'espèce concerne la Turquie, cependant, il est possible que la Cour rende un arrêt de principe sur ce sujet et se prononce sur la compatibilité de l'interdiction du port, par les élèves, de signes religieux à l'école avec l'article 9 de la Convention européenne des droits de l'homme.

L'arrêt *Dahlab c/ Suisse*[1] du 15 février 2001 concerne le port d'un signe religieux par un enseignant et ne peut réellement éclairer le législateur. On observera cependant, que la Cour, dans cette décision, s'est interrogée sur la signification du port d'un signe religieux et a pu considérer que celui-ci peut avoir en soi un caractère ostentatoire : « *comment pourrait-on dans ces circonstances dénier de prime abord tout effet prosélytique que peut avoir le port du foulard dès lors qu'il semble imposé aux femmes par une prescription coranique qui (...) est difficilement conciliable avec le principe d'égalité des sexes* ».

---

[1] Cour européenne des droits de l'homme, 15 février 2001, Dahlab c/ Suisse

L'ensemble de ces éléments tend à montrer que l'interdiction posée par le législateur qui aurait pour objectif de protéger l'espace scolaire des revendications identitaires et du prosélytisme ne serait pas contraire à l'article 9 de la Convention européenne des droits de l'homme dans la mesure où la liberté de religion des élèves serait garantie, notamment par la présence d'aumôneries ou par la possibilité d'aller dans des établissements privés.

C.– LA PRISE EN COMPTE DE CERTAINES SPÉCIFICITÉS

1.– La prise en compte du caractère propre des établissements privés sous contrat

La nécessaire clarification de l'application du principe de laïcité dans les établissements d'enseignement doit-elle s'appliquer aux établissements d'enseignement privés ayant passé avec l'État un contrat d'association ? Cette question a fait l'objet de nombreux débats au sein de la mission.

Il convient de souligner, en premier lieu, que la question ne se pose pas pour les établissements privés hors contrat qui ne font pas partie du service public de l'Éducation nationale : le dispositif législatif ne leur serait donc pas appliqué.

Plusieurs éléments militent en faveur de l'extension de l'interdiction du port, par les élèves, de signes religieux et politiques aux établissements privés sous contrat.

Ces établissements font partie du service public de l'enseignement et à ce titre sont soumis à des obligations de service public, tel que le respect des convictions personnelles des élèves.

Le second alinéa de l'article L.442-5 du code de l'Éducation précise, en effet, que, dans le cadre d'un contrat d'association l'enseignement est dispensé selon les règles et programmes de l'enseignement public. De plus, l'article L.442-1 du code de l'Éducation, introduit par la loi du 31 décembre 1959, dispose que l'établissement privé sous contrat, tout en conservant son caractère propre, doit dispenser l'enseignement dans le respect total de la liberté de conscience. Par ailleurs, l'article prescrit que tous les enfants, sans distinction d'origine, d'opinion ou de croyances ont accès à ces établissements.

Se pose, dès lors, la portée juridique du « *caractère propre* » des établissements privés sous contrat.

Interrogé par la mission, M. Roger Errera[1], conseiller d'État, a défini ainsi le caractère propre des établissements privés : « *La loi ne définit pas le caractère propre, la jurisprudence non plus. On le discerne bien en distinguant ce qui est de l'éducation et ce qui relève de l'enseignement. Le caractère propre, c'est la « valeur différente » de l'enseignement privé, le style de l'éducation, l'encadrement, les activités postscolaires, les formes de la vie pédagogique, les rapports avec les familles, avec les élèves, la disposition même des locaux, les valeurs au nom desquelles cet établissement a été créé...* »

Le Conseil constitutionnel, dans une décision du 23 novembre 1977[2], a indiqué que la sauvegarde du caractère propre d'un établissement lié à l'État par contrat n'est que la mise en œuvre du principe de la liberté d'enseignement. Dans la même décision, il est précisé que l'obligation imposée aux maîtres de respecter le caractère propre de l'établissement, si elle leur fait un devoir de réserve, ne saurait être interprétée comme permettant une atteinte à leur liberté de conscience.

Une seconde décision du Conseil constitutionnel, en date du 18 janvier 1985, confirme que la reconnaissance du caractère propre des établissements d'enseignement privés n'est que la mise en œuvre du principe de la liberté d'enseignement.

La mention du caractère propre ne semble donc pas avoir d'autre portée que de garantir la liberté d'enseignement et d'affirmer l'existence de deux types d'établissements, sans remettre en cause l'obligation de respecter l'intégralité des règles de fonctionnement du service public de l'enseignement.

Dans cette logique, le caractère propre n'ouvrirait aucun espace aux établissements privés sous contrat pour restreindre ou élargir les libertés publiques applicables au milieu scolaire. Le seul droit spécifique auquel s'attacherait le caractère propre serait celui de créer un établissement scolaire à caractère confessionnel dans le respect des obligations requises par la loi.

Le Conseil d'État a eu aussi à connaître à deux reprises[3] du problème de la portée juridique du caractère propre d'un établissement privé, au regard des obligations qui en découlent pour le personnel enseignant.

Comme le Conseil constitutionnel, le Conseil d'État considère que la liberté d'enseignement consacrée par le caractère propre d'un

---

[1] Audition du 26 octobre 2003
[2] Décision n° 77-87 DC du 23 novembre 1977 « liberté d'enseignement »
[3] CE n°85429 du 20 juillet 1990 et CE n° 99391 du 23 juillet 1993°

établissement ne permet ni d'évincer ni de limiter les autres libertés fondamentales au sein de l'établissement, telles qu'elles s'appliquent dans les établissements publics.

Au contraire, interrogés sur le caractère propre, des représentants de l'enseignement confessionnel ont tenté de définir la notion. Lors de son audition, M. Chamoux[1], directeur du collège privé Saint-Mauront de Marseille a souligné « *En fait, le caractère propre, selon moi, ne réside pas seulement dans ces temps, mais irrigue la vie de tous les jours. Quand on vit sa foi, forcément, l'on pose question aux autres. Est-ce ostentatoire ? Je ne le sais pas, mais forcément des personnes vivent différemment. (...) Le caractère propre, c'est la vie au quotidien. C'est la rencontre avec l'autre, la discussion avec l'autre, des temps d'échange : pourquoi je fais le ramadan, pourquoi, vous chrétiens, faites le carême ? Que faites-vous pendant le ramadan, pendant le carême ? Je situe le caractère propre dans la vie de tous les jours, davantage que dans les temps précis réservés aux catholiques. Il est dans le témoignage d'ouverture aux autres.* »

C'est dans ce contexte incertain que l'extension de l'interdiction du port des signes religieux a fait l'objet de débats au sein de la mission.

Certains membres de la mission ont considéré que le caractère propre des établissements privés ne concerne que la garantie de la liberté d'enseignement et implique simplement l'existence de deux types d'établissements. Surtout, ils considèrent que les établissements privés sous contrat font partie du service public de l'enseignement, qu'à ce titre ils sont subventionnés et que, par conséquent, ils doivent garantir, comme les établissements publics, le principe de laïcité.

D'autres membres de la mission ont considéré, au contraire, que la notion de « caractère propre » des établissements privés sous contrat est au cœur de l'identité, de la spécificité de ces établissements et de la relation particulière qu'ils entretiennent avec les religions, comme en témoigne le fait que les enseignants peuvent être des religieux. Ils sont donc opposés à l'extension du dispositif à ces établissements scolaires.

Ayant constaté qu'un consensus n'a pu s'établir sur l'extension de l'interdiction de tout port visible de signes religieux et politiques aux établissements privés sous contrat en raison de leur caractère propre, votre Président vous propose de ne pas prendre de mesures dans ce domaine et, ainsi, de ne pas inclure les établissements privés sous contrat dans le champ d'application de la disposition législative envisagée.

---

[1] Table ronde du 22 octobre 2003

2.– Un dispositif législatif qui ne remet pas en cause le régime spécifique de l'Alsace-Moselle

La majorité des membres de la mission a estimé nécessaire de prendre en compte la spécificité du droit local applicable dans ces départements.

En effet, le statut scolaire d'Alsace-Moselle est fortement marqué par la présence de la religion dans l'enseignement public et à l'école privée. Comme cela a été indiqué dans la première partie du présent rapport, le régime applicable en Alsace-Moselle est le résultat d'un héritage historique dont les effets sont aujourd'hui encore très présents.

Le principe de neutralité scolaire ne s'applique pas puisque les dispositions abrogées pour le reste de la France de la loi du 15 mars 1850 sur l'enseignement – dite « loi Falloux » – demeurent applicables en Alsace-Moselle. Cette situation emporte trois conséquences : les écoles sont confessionnelles ou interconfessionnelles, les communes peuvent employer des maîtres congréganistes et l'enseignement religieux est inscrit dans le programme obligatoire.

Actuellement, seuls sont assurés des cours de religion pour les quatre cultes reconnus : Église catholique (diocèse de Metz et archidiocèse de Strasbourg), Église de la confession d'Augsbourg d'Alsace et de Lorraine (luthérienne), l'Église réformée d'Alsace et de Lorraine (calviniste) et la communauté israélite. Les cultes non reconnus ne peuvent être enseignés à l'école publique. C'est le cas notamment du bouddhisme et du culte musulman.

Les écoles primaires peuvent être confessionnelles (relevant de l'un des quatre cultes reconnus) ou interconfessionnelles (mixtes). Dans le premier cas, les enseignements peuvent être assurés par des maîtres relevant d'une congrégation. Au sein des écoles interconfessionnelles, une lettre rectorale datant de 1962 précise qu'il doit y régner une ambiance favorable à toutes les religions. Selon l'instruction rectorale du 25 mai 1962, l'enseignement religieux est dispensé séparément aux enfants des différentes confessions. Si la prière reste obligatoire, elle doit être faite de manière à correspondre aux convictions religieuses de l'ensemble de la classe. Dans les faits, l'interconfessionnalité devient un mode de concrétisation d'une forme de neutralité scolaire.

L'article 23 de la loi du 15 mars 1850 sur l'enseignement prévoit que « *l'enseignement primaire comprend l'instruction morale et religieuse* ». Le décret du 10 octobre 1936 relatif à la sanction de l'obligation scolaire, applicable dans les trois départements du Haut-Rhin, du Bas-Rhin et de la Moselle prévoit que « *les enfants dispensés de l'enseignement religieux réglementaire par la déclaration écrite ou verbale et contresignée, faite au directeur d'école, par leur représentant légal recevront, au lieu et place de l'enseignement religieux, un complément d'enseignement moral* ».

Le décret n° 74-763 du 3 septembre 1974 relatif à l'aménagement du statut scolaire local en vigueur dans les établissements du premier degré des départements du Haut-Rhin, du Bas-Rhin et de la Moselle fixe, dans son article 1er, la durée hebdomadaire de la scolarité des élèves dans les écoles élémentaires à 26 heures, dont, obligatoirement, une heure d'enseignement religieux. Cette durée peut même être portée à 2 heures, dans le cadre d'un enseignement hebdomadaire de 27 heures. L'article 2 de ce même décret ajoute que « *l'enseignement religieux est assuré normalement par les personnels enseignants du premier degré qui se déclarent prêts à le donner ou, à défaut, par les ministres des cultes ou par des personnes qualifiées proposées par les autorités religieuses agréées par le recteur de l'académie* ».

La liste des élèves suivant tel ou tel enseignement religieux permet de faire apparaître leur confession religieuse. C'est pourquoi le décret n° 95–1045 du 22 septembre 1995 portant application des dispositions de l'article 31, alinéa 3, de la loi n° 78-17 du 6 janvier 1978 relative à l'informatique, aux fichiers et aux libertés, au traitement automatisé d'informations nominatives concernant l'enseignement religieux dans les départements du Haut-Rhin, du Bas-Rhin et de la Moselle permet explicitement aux établissements publics d'enseignement de « *collecter, conserver et traiter les informations nominatives relatives à l'organisation de l'enseignement religieux dispensé dans ces établissements qui, directement ou indirectement, font apparaître les opinions religieuses* ».

Contrairement aux établissements de l'enseignement primaire, ceux de l'enseignement secondaire ne sont pas confessionnels. L'enseignement religieux est dispensé par des personnels appartenant à différentes catégories d'agents publics rémunérés par l'État. Ils sont proposés pour nomination à l'administration par l'autorité religieuse.

Le régime de l'enseignement privé comporte lui aussi un certain nombre de particularités en droit local. L'ouverture des écoles privées est soumise à une loi de 1873 qui place l'ensemble des établissements scolaires primaires et secondaires sous la surveillance de l'État. Les dispositions de la loi du 31 décembre 1959 sur les rapports entre l'État et les établissements d'enseignement privé s'appliquent dans les trois départements à l'exception des 1er et 3e alinéa de l'article premier qui ont trait à la liberté de conscience, à la liberté des cultes et à l'instruction religieuse.

Cependant, en vertu de l'article 2 de la loi de 1886, les collectivités territoriales peuvent financer les dépenses d'investissement des écoles primaires privées sans limitation, contrairement au droit applicable sur le reste du territoire où les communes ne peuvent consentir, en matière d'investissement, aucune aide financière, sous quelque forme que ce soit, à des écoles primaires privées et ne peuvent qu'accorder leur garantie aux emprunts contractés par elles pour « *financer la construction, l'acquisition et l'aménagement de locaux d'enseignement* » (article 19 de la loi n° 86-972 du 19 août 1986).

En revanche, la règle posée par l'article 69 de la loi du 15 mars 1850 selon laquelle les collectivités territoriales, ne peuvent subvenir aux besoins des établissements du second degré au-delà du dixième des dépenses annuelles de l'établissement, s'applique, y compris aux écoles secondaires ecclésiastiques, c'est-à-dire aux petits séminaires. Ces derniers peuvent toutefois être autorisés à recevoir des subventions, sans que leur montant soit plafonné à raison de leur activité cultuelle.

Les membres de la mission ont pris acte des spécificités de l'enseignement et de l'absence de principe de neutralité scolaire en Alsace-Moselle pour ne pas remettre en cause le droit local applicable dans ces départements.

En conséquence, c'est l'article L 481–1 du code de l'Éducation nationale qui s'appliquera, selon lequel : « *Les dispositions particulières régissant l'enseignement applicables dans les départements du Bas-Rhin, du Haut-Rhin et de la Moselle y demeurent en vigueur.* »

Il reviendra donc aux départements concernés de définir le droit applicable dans ce domaine, étant précisé, comme cela a été indiqué à la mission par le ministre de l'éducation nationale, qu'en l'état actuel du droit, il n'y a pas de règles spéciales à l'Alsace-Moselle concernant le port de signes religieux par les élèves.

3.– Un dispositif législatif qui ne remet pas en cause les régimes spécifiques de certaines collectivités d'outre-mer

Compte tenu des spécificités juridiques de Mayotte, de Saint-Pierre-et-Miquelon, de Wallis-et-Futuna, de la Polynésie française et de la Nouvelle-Calédonie en matière d'enseignement, et de la compétence de certaines de ces collectivités en matière d'enseignement, la mission a également décidé de ne pas leur étendre ce dispositif législatif.

II.– DES MESURES COMPLÉMENTAIRES POUR FAIRE VIVRE LA LAÏCITÉ À L'ÉCOLE DANS UN ENVIRONNEMENT APAISÉ

Si la loi est nécessaire, elle n'est pas suffisante et les travaux de la mission ont clairement montré que les manifestations d'appartenance religieuse ou les conflits identitaires à l'école ne font que traduire des problèmes plus profonds.

C'est pourquoi les membres de la mission ont souhaité que toute disposition, quelle que soit sa nature, relative au port de signes religieux ou politique à l'école, s'accompagne d'une série de mesures répondant aux problèmes qui sont à l'origine de ces phénomènes identitaires.

Ces problèmes relevant en partie des difficultés propres à l'école, celle-ci doit repenser son rôle dans l'intégration de jeunes en quête de repères, de limites et de confiance en eux-mêmes et dans la société à laquelle ils appartiennent. Elle doit trouver le moyen, en s'appuyant sur les valeurs de la laïcité, d'aborder de façon raisonnée et pacifiée la place des religions dans la culture, afin de rompre avec l'inculture religieuse qui engendre beaucoup d'incompréhension. Il faudrait également s'interroger sur la formation des enseignants et sur la façon dont ils sont préparés dans les IUFM à leur mission éducatrice. Le même problème se pose pour les chefs d'établissement.

Mais l'école ne peut prendre en charge, à elle seule, tous les problèmes non résolus par la société et, en tout premier lieu, les difficultés liées aux quartiers où s'accumulent tous les handicaps sociaux et les discriminations, au logement, à l'embauche, dont des jeunes sont trop souvent victimes à raison de leur patronyme ou de la couleur de leur peau.

A.– LUTTER CONTRE TOUTES LES FORMES DE DISCRIMINATIONS ET INTENSIFIER LES EFFORTS ACCOMPLIS DANS LE CADRE DE LA POLITIQUE DE LA VILLE

Les témoignages ont souligné, de façon répétée, le lien direct entre les manifestations identitaires qui se développent au sein des établissements scolaires et certains problèmes sociaux auxquels sont confrontés les élèves concernés et leur famille, à l'extérieur de l'école.

Dans son rapport précité, de novembre 2003 sur la ségrégation urbaine, le Conseil d'analyse économique (CAE) considère que cette ségrégation porte en elle une dislocation de la cité par rupture d'égalité dans les espaces sociaux qui sont au premier chef le travail, l'école, le logement et les équipements collectifs.

Les immigrés et enfants d'immigrés qui figurent bien souvent parmi les groupes sociaux les plus défavorisés sont surexposés à ces situations de ségrégation urbaine. Aux difficultés sociales et financières auxquelles ils sont confrontés et qui leur enlèvent toute chance de quitter ces quartiers déshérités, s'ajoutent des phénomènes très répandus de discriminations liées à leur origine réelle ou supposée, lors des recherches d'emplois ou de logements.

Le CAE suggère avec force la mise en place d'une politique de désenclavement des quartiers ghettos, de façon à rétablir une véritable connexion entre les habitants et les bassins d'emplois.

Il recommande également pour améliorer l'accès à l'enseignement et à la formation de développer une politique universitaire d'éducation prioritaire sur le modèle des conventions d'éducation mises en œuvre par l'Institut d'études politiques de Paris.

Le chômage des jeunes des quartiers défavorisés, sortis de l'école sans diplôme, pose un problème difficile. Le CAE suggère d'organiser rapidement un plan facilitant leur accès à la formation en alternance et s'inspirant de la méthode des écoles de la deuxième chance, pratiquées dans de nombreux pays européens.

Ces propositions rejoignent les mesures récemment mises en œuvre dans le cadre de la politique de la ville. Une loi d'orientation et de programmation pour la ville a été adoptée le 1er août 2003[1] et un programme national de rénovation urbaine des quartiers où se trouvent des grands ensembles d'habitats dégradés classés en zone urbaine sensible (ZUS) vient d'être lancé. Parmi les objectifs de la loi, figure l'amélioration de la réussite scolaire avec la mise en place dans les ZUS d'un système de veille éducative visant à prévenir les interruptions des parcours scolaires. L'objectif fixé est d'ici à cinq ans, une augmentation significative de la réussite scolaire dans les établissements des ZUS.

De son côté le Haut conseil à l'intégration a formulé diverses recommandations et propositions qu'il paraît utile de rappeler.

Il considère, dans le rapport précité de novembre 2000, que la place de l'islam dans la République est indissociable de la place que la société française réserve aux citoyens français musulmans et aux musulmans étrangers. À bien des égards, le principe d'égalité qui implique la prohibition de toute forme de discrimination n'est pas respecté. Il rappelle que l'article 225-1 du code pénal définit une discrimination comme « toute

---

[1] Loi n° 2003-710

distinction opérée entre les personnes physiques ou morales notamment à raison de leur appartenance réelle ou supposée à une ethnie, une nation, une race ou une religion déterminée ».

Le Haut conseil estime qu'un effort de pédagogie en direction de l'opinion publique et plus encore des entreprises, de la part de l'État, est indispensable pour faire reculer la perception négative de l'islam, notamment en améliorant la connaissance de cette religion.

Le Haut conseil recommande dans le cadre législatif actuel d'orienter les pratiques administratives de façon à résoudre des problèmes spécifiques propres au culte musulman et à rétablir le principe d'égalité, s'agissant par exemple des permis de construire pour les mosquées.

B.– PROMOUVOIR L'ÉGALITÉ DE TRAITEMENT DES DIFFÉRENTES RELIGIONS ET ENSEIGNER L'HISTOIRE DES RELIGIONS À L'ÉCOLE

1.– Lutter contre l'image négative de l'islam et favoriser la construction de lieux de culte musulman

Beaucoup de musulmans déplorent que l'islam focalise aujourd'hui la réflexion sur la place des religions dans la société. On doit admettre que cette religion est souvent associée, dans les médias, à une image dévalorisante et que l'obligation de traiter également tous les cultes n'est pas pleinement respectée l'État.

M. Yvon Robert[1], chef du service de l'inspection générale de l'administration de l'éducation nationale, a été très explicite sur ce point en observant qu'on ne pourra résoudre les problèmes de l'école, avec ou sans loi, que si l'on progresse sur la question de la construction des lieux de culte musulmans. Certains membres de la mission ont fait la même remarque.

Si la religion musulmane avait les moyens d'occuper sereinement une place valorisante au sein de la société, les courants fondamentalistes et traditionalistes seraient privés du discours sur le thème de la victimisation des musulmans en France. Leur tentative d'imposer un statut personnel des musulmans aurait ainsi moins de poids.

On notera que certains organismes, comme la Ligue de l'enseignement, proposent la création d'une fondation d'utilité publique destinée à la construction des mosquées comptant trois membres désignés par les ministères pour assurer la transparence des fonds.

---

[1] Audition du 24 juin 2003

2.– Des aumôneries pour toutes les religions ?

On rappellera que, conformément à l'article L.141-2 alinéa 2 du code de l'Éducation, l'État prend toutes dispositions utiles pour assurer aux élèves de l'enseignement public la liberté des cultes et de l'instruction religieuse.

Par ailleurs, l'article 2 de la loi du 9 décembre 1905, qui n'est pas intégré au code de l'Éducation, prévoit que peuvent être inscrites au budget de l'État et des collectivités locales, les dépenses relatives aux services d'aumônerie pour assurer le libre exercice des cultes dans les établissements publics, tels que les collèges, les lycées et les écoles.

Le ministère de l'éducation nationale est autorisé à prendre toutes mesures utiles pour assurer le libre exercice des cultes au sein d'une cité scolaire, dès lors que ni la liberté de conscience, ni l'intérêt de l'ordre public n'y font obstacle et que les dépenses correspondantes n'excèdent pas celles visées à l'article 2 de la loi de séparation des Églises et de l'État.

Le Conseil d'État a ainsi admis[1] que soit inclus dans un programme de construction scolaire, sur un terrain cédé par la ville, l'édification d'un local cultuel construit aux frais d'une association de soutien aux aumôneries.

La circulaire n°88-112 du 22 avril 1988 a précisé l'ensemble des conditions de fonctionnement des aumôneries qui peuvent être créées à la demande des parents ou des élèves et qui sont de droit dans les internats. Dans les externats il appartient au recteur de décider, après avis du conseil d'administration, de la création et des modalités de fonctionnement à l'intérieur ou à l'extérieur de l'établissement. Si elle est créée à l'intérieur de l'établissement, un local doit lui être fourni. La circulaire précise qu'il appartient à l'établissement de concilier le respect du principe de liberté religieuse et notamment le droit de participer au culte un jour par semaine et le respect de l'obligation d'assiduité qui incombe aux élèves.

Plusieurs membres de la mission et certaines personnes auditionnées, se sont interrogés sur l'intérêt qu'il pourrait y avoir à favoriser la mise en place d'aumôneries pour toutes les religions, ou à l'inverse sur la nécessité de les supprimer toutes.

---

[1] CE, 7 mars 1969, ville de Lille

Ainsi, M. Michel Morineau[1], membre de la commission « laïcité et islam » co-dirigée par la Ligue des droits de l'homme et *Le Monde diplomatique*, s'est interrogé sur l'avenir des aumôneries en affirmant : « *Nous n'avons pas encore trop de cas d'aumôneries musulmanes au sein de l'école publique, mais si cette loi interdisant le port de signes religieux devait voir le jour, comment contourner la difficulté pour qu'elle n'engage pas également l'interdiction des aumôneries ? »*

À l'inverse, M. Faride Hamana[1], secrétaire général de la FCPE, a déclaré en parlant des aumôneries de toute obédience : « *Il faudra revoir la question des aumôneries. Si nous acceptons et tolérons l'existence de ce type « d'église » dans l'établissement, il faudra accepter d'autres cultes. Si l'on souhaite garantir la laïcité de l'école, toute manifestation de quelque culte que ce soit doit être bannie des établissements scolaires.* »

Votre président n'écarte pas l'idée que, permettre, dans les conditions qui ont été rappelées, l'ouverture d'aumôneries pour toutes les religions, pourrait être de nature à conforter les Français de religion musulmane dans leur appartenance à la République et à convaincre que la laïcité ne signifie pas l'hostilité aux religions.

3.– Des écoles privées de confession musulmane ?

Depuis longtemps, la loi reconnaît le droit d'ouvrir une école primaire ou secondaire à toute personne française ou ressortissante d'un autre État membre de l'Union européenne âgée de 21 ans dans le premier cas et de 25 ans dans le second. Cette liberté fondamentale repose sur une simple déclaration préalable. Le pouvoir d'appréciation de l'administration pour s'opposer à l'ouverture d'une école porte sur le contrôle du respect des conditions limitativement énumérées par le code de l'Éducation. Elles sont relatives à l'hygiène et à la sécurité des locaux ainsi qu'à la moralité et aux diplômes des demandeurs. Les conditions d'ouverture d'un établissement d'enseignement privé technique sont du même ordre.

Après une durée minimale de fonctionnement de 5 ans une école privée du premier ou du second degré peut demander à passer avec l'État un contrat d'association d'enseignement, si elle répond à un besoin scolaire reconnu, conformément à l'article L. 442-5 du code de l'Éducation.

Il semble qu'il y ait assez peu de déclarations d'ouvertures d'écoles privées de confession musulmane. Il existe toutefois un exemple à Lille et la

[1] Table ronde du 24 septembre 2003

mission a tenu à auditionner les responsables de la création de ce lycée musulman.

Elle a donc entendu, M. Makhlouf Mameche[1], directeur-adjoint du lycée musulman Averroès de Lille qui a ouvert ses portes à la rentrée 2003. M. Mameche a indiqué que ce lycée est une petite structure qui compte une seule classe de seconde avec 14 élèves. Son budget annuel est de l'ordre de 150 000 euros, financé par les adhérents de l'association musulmane Averroès qui a créé l'établissement. L'objectif est de solliciter un contrat d'association à l'issue des cinq années requises. M. Mameche a précisé qu'il a refusé d'inscrire des élèves qui ne le souhaitaient pas, malgré la demande pressante des parents.

M. Lasfar Amar, recteur de la mosquée de Lille, à l'origine du projet de ce lycée et président de l'association Averroès a également été entendu[1]. Pour lui, le lycée Averroès ne s'inscrit pas dans une logique d'alternative pour les filles qui désirent porter le voile. Ce lycée est seulement une expérience menée par la communauté musulmane du Nord, à l'issue d'une réflexion d'une dizaine d'années, pour se doter d'une telle institution, à l'instar des autres confessions. Avec cet établissement, l'objectif de la mosquée de Lille est d'aider la communauté musulmane à évoluer et d'accompagner sa mutation et ses transformations en vue de son intégration dans notre pays.

De son côté, M. Yvon Robert[2], chef du service de l'inspection général de l'administration de l'éducation nationale, s'est déclaré favorable à l'ouverture d'établissements musulmans privés de second degré en France dont il a évalué le besoin à cinq environ, en disant : « *Même si ces cinq établissements étaient des lieux très fondamentalistes, ce n'est pas cela qui mettrait en péril la République française.* »

Pour autant, votre Président a constaté que parmi les arguments énumérés par les personnes hostiles à une modification législative sur le port de signes religieux à l'école, la crainte de voir se développer des écoles musulmanes pour accueillir les élèves voilées revient souvent.

Force est de constater que les opinions sont très divergentes sur l'opportunité de favoriser la création de ces écoles et que la réflexion doit être poursuivie.

---

[1] Table ronde du 29 octobre 2003
[2] Audition du 24 juin 2003

4.– Améliorer l'enseignement de l'histoire des religions

Selon les propos de M. Bruno Étienne[1], directeur de l'observatoire du religieux à l'IEP d'Aix-en-Provence, devant la mission : « *toute progression dans la connaissance mutuelle marque une avancée dans la paix sociale* ».

Les membres de la mission ont souligné unanimement l'intérêt d'une meilleure sensibilisation des enseignants et des élèves au fait religieux et surtout à l'histoire des religions.

Mais ils considèrent, à l'instar de M. Régis Debray dans son rapport sur « l'enseignement du fait religieux dans l'école laïque », qu'il ne faut pas promouvoir l'enseignement de l'histoire des religions dans le cadre d'une discipline spécifique. Tout d'abord parce que les programmes sont déjà surchargés et qu'une contrainte supplémentaire ne pourrait se faire qu'au détriment de la nouvelle matière. En second lieu et surtout, parce que cet enseignement ne doit pas devenir une affaire de spécialistes ou de théologiens mais doit apporter, dans les matières qui s'y prêtent, un éclairage particulier, afin d'aider les élèves à mieux comprendre le monde dans lequel ils vivent.

Comme l'ont fait remarquer plusieurs membres de la mission, en qualité d'anciens professeurs d'histoire, les religions et notamment l'islam ne sont pas absents aujourd'hui des programmes scolaires, notamment depuis la révision des programmes d'histoire et de français en 1996.

Il a été rappelé qu'en sixième, on enseigne les dieux de l'Égypte, la mythologie grecque et romaine, la naissance du christianisme ; en cinquième, l'islam.

Si les faits religieux ne sont pas absents des programmes, c'est beaucoup plus, semble-t-il, sur la façon d'inclure un aspect religieux dans une analyse que les difficultés apparaissent. Comment montrer que dans un poème de Victor Hugo ou dans un texte de Descartes, il peut y avoir une dimension sociale mais aussi une dimension religieuse ?

Il faut apprendre aux élèves à repérer l'influence des croyances, l'importance des symboles religieux dans l'art et le rôle des religions ou d'une religion dans le fonctionnement des sociétés. Les religions font partie du patrimoine de l'humanité et c'est en transmettant cela que l'on fera reculer certains préjugés qui considèrent qu'il faut appartenir à une culture

---

[1] Table ronde du 16 septembre 2003

pour pouvoir en parler. L'étude du statut social des femmes dans les diverses religions pourrait ainsi aider les élèves – garçons comme filles – à comprendre l'apport de la laïcité dans l'émancipation de celles-ci.

La démarche devrait être de même nature pour l'éducation civique, il ne faut pas en faire une discipline supplémentaire que les élèves vivent comme une surcharge, mais selon les propos de M. Jean-Paul de Gaudemar[1], directeur de l'enseignement scolaire, instiller une culture de la citoyenneté tout au long de la vie scolaire et à travers les divers enseignements.

Il y a tout lieu également de penser qu'un retour sur le temps, à travers l'apprentissage d'une langue, d'un poème ou d'un territoire géographique, aiderait les élèves à sortir de la culture de l'instant, du direct et de la suprématie de l'image sur tout autre mode d'accès à la connaissance.

La formation des enseignants concernés est essentielle pour atteindre ces objectifs. Face à des questions qui touchent à l'identité profonde des élèves il est apparu, en effet, que les enseignants ne sont peut-être pas suffisamment armés pour réussir à dépassionner le sujet et même à le banaliser.

Certains proposent une évolution dans le fonctionnement des IUFM. Par exemple, le tutorat qui existe pour les stagiaires pourrait se prolonger après la titularisation, afin que les jeunes enseignants, souvent affectés en premier poste dans des établissements difficiles, ne soient pas livrés à eux-mêmes. L'enseignement de la pédagogie pourrait se faire en situation, sur le terrain, notamment en ce qui concerne la capacité à gérer la violence où l'indiscipline.

Les enseignants ne sont pas suffisamment préparés à aborder ces questions de même qu'ils sont souvent démunis pour transmettre les valeurs de la laïcité. Ces thèmes devraient être plus présents dans la formation des enseignants comme dans celle des chefs d'établissement.

M. Mohamed Arkoun[2], spécialiste en islamologie, a regretté devant la mission, une certaine réticence, au nom de la laïcité, à aborder les questions religieuses : « *La laïcité est une attitude fondamentalement intellectuelle devant le problème de la connaissance. D'abord connaître, tout connaître et comment connaître et ensuite comment enseigner ce que l'on connaît sans conditionner qui que ce soit : c'est cela la laïcité, ce n'est pas un combat contre quelque chose.* »

---

[1] Audition du 25 juin 2003
[2] Table ronde du 17 septembre 2003

C.– DÉVELOPPER UNE PÉDAGOGIE DE LA LAÏCITÉ À L'ÉCOLE

La mission a constaté que là où se trouve une équipe pédagogique soudée, harmonisée dans ses méthodes, notamment, par rapport à la discipline et au comportement des élèves et capable de se faire obéir sans osciller entre autoritarisme et laxisme, les foulards mais aussi les casquettes et toutes les marques de refus de la règle commune, tombent beaucoup plus vite.

Les enseignants devraient pouvoir aider les élèves à découvrir que les règles de la laïcité à l'école, y compris l'interdiction du port de signes religieux, constituent leur bien commun ainsi qu'un pas vers leur liberté personnelle.

L'adoption des nouveaux règlements intérieurs – harmonisés – pourrait être l'occasion de débattre sur le sens de certains interdits et d'amorcer une véritable pédagogie de la laïcité.

Il est évident – et cela a été souligné de façon répétée au cours des travaux de la mission – qu'une large majorité d'élèves ignore tout de l'histoire et des fondements spécifiques de la laïcité en France. Ils en ont dans le meilleur des cas une connaissance purement académique mais n'en perçoivent pas l'intérêt dans leur vécu quotidien.

Plus grave, il a été indiqué aux membres de la mission que les enseignants et les chefs d'établissement ne sont pas suffisamment armés pour convaincre et démontrer l'intérêt d'une règle dont le but est de rapprocher tous les membres de la communauté éducative au lieu de les diviser. Le directeur adjoint de l'IUFM de Créteil a eu l'occasion de déclarer dans un article du « Monde de l'Éducation » qu'après des années d'études et la réussite aux concours, les futurs enseignants qui arrivent à l'IUFM « nagent dans la confusion » à propos de la laïcité et ignorent notamment les obligations propres aux agents publics.

Des mesures pourraient être prises pour y remédier.

La formation obligatoire à la laïcité de tous les personnels enseignants devrait être réintroduite dans les IUFM avec, par exemple, des études de cas ainsi que la présentation des textes applicables ainsi que de la jurisprudence.

L'amélioration, dans le même sens, de la formation des chefs d'établissement ainsi que l'apprentissage de la gestion de crise, devraient être mis en œuvre.

Comme pour l'enseignement de l'histoire des religions, l'enseignement de la laïcité ne doit pas être limité à un cours sur la IIIe République. Il devrait être dispensé, à toutes les occasions et dans toutes ses composantes : la tolérance, la liberté de conscience, le droit de croire ou de ne pas croire ou, encore, celui de changer de religion, l'égalité des sexes, la neutralité de l'État et ce, dès l'école primaire.

L'apprentissage de la laïcité comme fondement de la démocratie, devrait être mis en relation avec le vécu des élèves et leur comportement au quotidien : respect de l'autre, refus de la violence, reconnaissance de la nécessité du dialogue et de l'écoute réciproque et, surtout, l'amélioration des relations entre les garçons et les filles.

Une circulaire ministérielle pourrait être élaborée dans ce sens.

Par ailleurs, la diffusion annoncée par le ministère et confirmée par M. Luc Ferry, ministre de l'éducation nationale, lors de son audition, d'un guide à destination de tous les enseignants pour leur permettre d'argumenter et de faire face aux entorses à la laïcité, est très attendue.

De même, le développement de cellules de médiation au niveau des académies, relayant celle qui a été mise en place en 1994 au niveau national, devrait être accéléré et leur rôle explicité auprès des établissements.

Enfin il faudrait donner aux chefs d'établissement des moyens juridiques accrus pour sanctionner le non-respect de l'assiduité aux cours et pour lutter contre les certificats de complaisance. La convocation du conseil de discipline est apparue comme une procédure lourde et inappropriée. La possibilité de faire procéder à un contrôle médical et le dialogue permanent avec les parents responsables de leurs enfants mineurs pourraient permettre d'enrayer les nombreuses dérives.

Telles sont les mesures d'accompagnement que la mission propose d'assortir à l'interdiction du port visible de signes religieux et politiques dans l'enceinte des établissements scolaires publics.

CONCLUSION

Sur un sujet dont la complexité ne pouvait que susciter interrogations et hésitations, les nombreuses auditions ont permis un examen progressif et approfondi de tous les aspects du problème du port des signes religieux à l'école.

Les comptes rendus des auditions annexés au rapport attestent de l'intérêt des témoignages, de la participation très assidue des membres de la mission à cette réflexion et de la qualité des débats qui se sont déroulés au cours des six mois de travail.

À partir des constats développés dans le présent rapport et après plusieurs réunions internes, la mission a décidé, le 12 novembre 2003, de faire connaître le souhait de la très grande majorité de ses membres de réaffirmer le principe de la laïcité à l'école en proposant une modification législative clarifiant les règles en matière de port des signes religieux et politiques à l'école.

L'exposé des motifs et le dispositif de cette proposition de modification législative vous sont ainsi proposés.

—>◇<—

Proposition de modification législative

Il est apparu nécessaire à tous les membres de la mission d'information, créée le 27 mai 2003 par la Conférence des présidents de l'Assemblée nationale sur la question du port des signes religieux à l'école, de réaffirmer l'application du principe de laïcité dans les établissements scolaires.

En effet, le régime juridique actuel, tel qu'il résulte de l'avis du Conseil d'État du 27 novembre 1989 et de sa jurisprudence n'est pas satisfaisant. Il ne permet pas de répondre au désarroi des chefs d'établissement et des enseignants confrontés à cette question qui tend à les accaparer de plus en plus. Surtout, il subordonne les conditions d'exercice d'une liberté fondamentale à des circonstances locales.

Pour la très grande majorité des membres de la mission, cette réaffirmation du principe de laïcité doit prendre la forme d'une disposition législative qui interdira expressément le port visible de tout signe d'appartenance religieuse et politique dans l'enceinte des établissements scolaires. Cette disposition législative prendra la forme, soit d'un projet de loi ou d'une proposition de loi spécifique, soit d'un article de loi ou d'un amendement inséré dans un texte global concernant l'école.

Cette proposition s'est imposée après examen de l'ensemble des autres solutions envisageables : *statu quo*, nouvelle circulaire, caractère législatif conféré aux règlements intérieurs, disposition législative moins contraignante ou, au contraire, d'un champ d'application plus large que l'école.

L'application de cette interdiction à l'école publique, c'est-à-dire aussi bien dans les établissements primaires que dans les établissements secondaires (collèges et lycées), a recueilli l'unanimité des membres de la mission favorables à l'introduction d'une disposition législative.

Les membres de la mission ont exclu, également de façon unanime, du champ d'application de cette interdiction, les établissements privés hors contrat dans la mesure où ils ne font pas partie du service public de l'Éducation nationale.

Un consensus n'a pu se dégager sur l'extension de l'interdiction aux établissements privés sous contrat en raison de leur caractère propre dont le principe a été reconnu par le Conseil constitutionnel. C'est pourquoi la mission n'a pas fait de proposition sur ce point.

Un consensus s'est au contraire dégagé pour constater qu'il n'y avait pas lieu de modifier les régimes juridiques applicables aux départements d'Alsace-Moselle et aux collectivités d'Outre-mer.

Les membres de la mission souhaitent que cette interdiction du port visible de tout signe d'appartenance religieuse soit accompagnée de mesures destinées non seulement à favoriser la compréhension, l'acceptation et l'application de cette disposition, mais également à combler les lacunes constatées dans la connaissance des principes liés à la notion de laïcité, comme par exemple :

– la formation obligatoire à la laïcité de tous les personnels enseignants dans les Instituts universitaires de formation des maîtres, ce qui n'est plus le cas,

– l'enseignement de la laïcité, des notions de tolérance, de liberté, de respect, d'égalité des sexes, de même que l'enseignement de l'instruction civique, dès l'école primaire,

– l'élaboration et la diffusion d'un guide à destination de tous les enseignants pour leur permettre de faire face aux entorses à la laïcité auxquelles ils pourraient être confrontés et faire pièce aux arguments déployés par certains groupes de pression,

– le développement de cellules de médiation au niveau des académies, relayant celle qui a été mise en place en 1994 au niveau national,

– des moyens juridiques plus efficaces pour sanctionner le non-respect de l'assiduité aux cours et lutter contre les certificats de complaisance,

– l'amélioration de l'enseignement de l'histoire des religions dans le cadre actuel des programmes d'histoire, de français, d'art, de philosophie,

– l'égalité de traitement des différents cultes.

———>–◇–<———

DISPOSITIF

Article unique

Au titre V relatif à la « *vie scolaire* », titre I « *Les droits et les obligations des élèves [des établissements publics]* », l'article L.511-2 du code de l'Éducation est complété par un alinéa ainsi rédigé :

« Le port visible de tout signe d'appartenance religieuse ou politique est interdit dans l'enceinte des établissements. »

———>–◇–<———

EXAMEN DU RAPPORT

*

*   *

La mission a examiné le rapport au cours de sa séance du jeudi 4 décembre 2003 et l'a adopté.

Elle a ensuite autorisé sa publication conformément à l'article 145 du Règlement de l'Assemblée nationale.

*   *

*

CONTRIBUTIONS

CONTRIBUTION DES MEMBRES DE LA MISSION
APPARTENANT AU GROUPE SOCIALISTE[1]

Ayant sollicité, dès le 20 mai 2003, la mise en place d'une réflexion sur les signes religieux à l'école, le groupe socialiste est satisfait du travail accompli par la mission à laquelle il a pleinement participé.

Il félicite le Président de l'Assemblée nationale d'avoir conduit les travaux de la mission avec détermination, objectivité et tolérance. Il souscrit, sans réserves, aux conclusions de la mission, proposant le recours à la loi comme signe clair et dépourvu d'ambiguïté à ceux qui, dans le système éducatif, sont confrontés à des dérives communautaires bien réelles, dont le voile constitue la partie visible.

Face à la montée du prosélytisme dans les enceintes scolaires, dont tous les acteurs de terrain, entendus par la mission, ont témoigné, la jurisprudence du Conseil d'État ne suffit plus. La clarification est devenue indispensable car l'école est un lieu de neutralité au cœur de notre pacte républicain qui doit protéger tous ceux qui la fréquentent.

Pour nécessaire qu'elle soit, la loi ne suffit pas.

Le groupe socialiste considère que les mesures complémentaires évoquées dans le rapport, dont plusieurs émanent de ses membres, ne sont pas séparables de la disposition législative.

Il revient, en effet, à l'école de faciliter l'apprentissage de la laïcité comme fondement de la démocratie.

Le groupe socialiste a conscience qu'une loi de clarification interdisant le port visible des signes religieux, conduira à exclure des élèves de l'enseignement public. C'est bien pourquoi les membres socialistes de la mission ont longtemps hésité avant de se résoudre à une loi.

Néanmoins, ils considèrent que la mise en œuvre du principe d'interdiction nécessite une souplesse, afin de prendre en compte tout à la fois la diversité des situations locales, l'autonomie des établissements et la

---

[1] Mme Patricia ADAM, MM. Christian BATAILLE, Jean-Pierre BLAZY, Mme Martine DAVID, MM. René DOSIERE, Jean GLAVANY, Mme Elisabeth GUIGOU, M. Christophe MASSE

finalité de l'école de la République qui consiste à intégrer. C'est pourquoi, dans la proposition de loi que le groupe socialiste a déposée, la sanction ne peut intervenir qu'une fois achevé le temps du dialogue, de l'explication, de la pédagogie et de la conviction.

Par ailleurs, on n'insistera jamais assez sur la signification profondément sexiste que recèle le port du voile : les témoignages recueillis par la mission sont éloquents. Nous le disons haut et fort : la société française ne saurait accepter pour quelque motif que ce soit (et, en particulier, religieux, si tel est le cas) que la situation faite aux femmes les place en position d'infériorité ou de dépendance.

C'est bien dès l'école qu'il faut manifester concrètement cette égalité entre hommes et femmes en évitant toute attitude ségrégative.

Si le mandat de la mission était limité, les travaux ont bien fait apparaître que la laïcité dépasse le cadre de l'école. Le très beau et très complet développement sur la valeur de laïcité, son histoire, sa signification profonde dans la société française, le modèle républicain original qu'elle définit le démontre à l'évidence.

Les socialistes soulignent, en conséquence, que la laïcité républicaine est gravement menacée par l'exclusion économique, sociale, culturelle qui touche des couches entières de la population, victimes d'une ségrégation inacceptable.

Il importe donc de compléter le dispositif proposé pour l'école, par une charte de la laïcité définissant un équilibre entre droits et devoirs citoyens, rappelant les règles communes dans l'ensemble de l'espace public.

CONTRIBUTION DES MEMBRES DE LA MISSION
APPARTENANT AU GROUPE UDF[1]

La constitution par les députés d'une mission d'information sur la question du port des signes religieux à l'école illustre l'importance et la vigueur du débat qui traverse la société française. Les députés du groupe UDF, qui défendent la laïcité comme pilier de la République, mais aussi comme élément déterminant de l'identité personnelle de chacun et de notre vie en société, entendent y apporter leur contribution.

La laïcité est d'abord une valeur qui fonde la République, depuis les débuts du régime républicain. Jules Ferry, dans sa lettre aux instituteurs, le 27 novembre 1883, il y a plus de deux siècles, ne disait pas autre chose. Pour nous, la laïcité permet la liberté de conscience, elle autorise que s'expriment les croyances et les opinions de chacun ; en ce sens, elle rend impossible l'exclusion et le rejet ; elle est donc la garantie, le socle constitutionnel, de la tolérance et du respect dans notre pays.

Ce principe laïque est le résultat d'un long combat. Aujourd'hui, la référence à l'islam de la population immigrée qui habite sur le territoire français pose la question de l'étendue exacte des obligations qui découlent du principe de laïcité. Le principe de laïcité reste d'actualité et nous ne sommes pas favorables à l'élaboration d'une loi.

Le premier élément que nous voulons affirmer, c'est que le voile islamique n'a pas sa place à l'école de la République, pour trois raisons.

Premièrement, le port du voile signifie que la loi de Dieu est supérieure à la loi des hommes, alors que, dans notre société, la loi, dans l'espace public, a un caractère éminemment séculier. Deuxièmement, le port du voile traduit que la femme a, selon le droit islamique, un statut différent du statut de l'homme – et un statut qui, à bien des égards, est inférieur. C'est fondamentalement contraire au principe de notre République.

Troisièmement, le voile a une signification dans l'ordre du désir : il dit qu'il revient à la femme de ne pas provoquer par la seule vue du corps, la seule vue de la chevelure. Faire porter le voile à une femme, c'est donc la considérer d'abord et uniquement comme un objet de désir.

---

[1] MM. Yvan LACHAUD, Hervé MORIN

Pour ces trois raisons, le port du foulard islamique ne représente pas uniquement l'expression d'une conviction religieuse, mais, par l'intermédiaire de cette conviction religieuse, il signifie une certaine conception dégradante de la femme, de la société et de l'humanité tout entière.

Nous défendons une conception libérale de la laïcité, selon laquelle toute expression religieuse mérite respect et aucune ne doit chercher à s'imposer aux autres, plutôt qu'une conception plus rigide selon laquelle ces expressions doivent rester strictement confinées à la sphère privée, sans aucune place dans la sphère publique. Faire respecter le principe de laïcité, à l'école, et même au-delà, est donc une nécessité. Mais, selon nous, cela ne passe pas par la voie législative.

En effet, depuis que la première « affaire » du foulard est apparue, à Creil en 1989, les établissements scolaires ont plus ou moins réussi à résoudre ces difficultés, par un dialogue entre les enseignants, les élèves et leurs familles. Il faut également rappeler l'action de la médiatrice de l'Éducation nationale chargée d'intervenir chaque fois qu'une difficulté était signalée. Surtout, la « circulaire Bayrou », en 1994, a permis de répondre aux interrogations de chefs d'établissements parfois désorientés par la jurisprudence, en recommandant la modification des règlements intérieurs des établissements sur la base d'une distinction entre « signes discrets » et « signes ostentatoires ».

Si cet équilibre subtil entre principe de laïcité et liberté de conscience a été rompu, c'est à l'évidence à cause de facteurs qui n'ont pas grand-chose à voir avec une contestation par les musulmans du principe de laïcité. En effet, entrent en jeu l'aggravation de la crise palestinienne et les luttes d'influence que se livrent, au sein de la communauté musulmane, les modernistes et les fondamentalistes. Opposer au communautarisme identitaire le rempart radical du laïcisme, serait une illusion, de même que, par nostalgie des grands combats anticléricaux de jadis, il serait dangereux de vouloir porter le fer contre une prétendue menace intégriste.

De plus, il ne faut pas oublier que la grande majorité des citoyens d'appartenance musulmane est laïque et refuse souvent d'être désignée par son appartenance culturelle ou même cultuelle.

Un argument juridique nous incite à écarter l'hypothèse d'une loi. De nombreux textes, à commencer par la Constitution, la Déclaration de 1789 et la Convention européenne des droits de l'homme, affirment la liberté de conscience et d'expression. Ainsi la Déclaration des droits de l'homme, dans son article 10, proclame-t-elle que « nul ne doit être inquiété pour ses opinions même religieuses, pourvu que leurs manifestations ne troublent pas l'ordre public établi par la loi ». Par conséquent, une loi qui, au nom de la laïcité, interdirait strictement toute forme d'expression religieuse, pourrait être traduite devant les juridictions françaises et internationales qui veillent au respect de ces normes juridiques supérieures, et risquerait d'être censurée, déclarée anticonstitutionnelle, ou démentie par la Cour européenne des droits de l'homme. Ne serait-ce pas une honte pour le pays des droits de l'homme ?

Un argument politique nous incite également à ne pas vouloir légiférer sur ce sujet. Nous sommes convaincus qu'il est préférable que les valeurs de la République s'expriment par le dialogue en laissant à ceux qui viennent d'un autre univers culturel le temps de s'adapter et de s'intégrer, au lieu qu'une loi les impose, sans délais et sans discussion.

Les chefs d'établissement souhaitent-ils réellement ajouter à leurs obligations, nombreuses, celles de gardien de la laïcité ? Il serait faux de croire que ce sont eux qui espèrent une loi, puisqu'ils ont déjà le droit – et ils l'exercent – de prohiber tout signe religieux de nature à perturber les enseignements, en particulier le voile. C'est une bonne mesure, qui nous semble suffisante.

Une loi risque par ailleurs d'aller contre l'intégration, en enflammant une exigence d'écoles musulmanes, au risque d'isoler les jeunes filles musulmanes, alors que l'école publique les intègre. Il pourrait en aller de même chez des chrétiens intégristes et des juifs ultra-orthodoxes. Une loi risquerait surtout de contourner l'essentiel, qui est la difficulté véritable des populations arabes, musulmanes ou non, généralement très peu pratiquants, à s'intégrer en France. Le voile et son interdiction ne sont en réalité que les symptômes de l'échec de notre politique d'intégration : le problème n'est, dans le fond, pas tant religieux que culturel et économique.

Enfin, se pose la question des établissements privés sous contrat. Comment pourrait-on supprimer les signes religieux dans les écoles confessionnelles ? Faut-il considérer que les établissements privés sous contrat rendent un service public, puisqu'ils sont financés par l'État, de sorte que les enseignants et les élèves doivent respecter le principe de neutralité ? Les élèves de l'enseignement privé sous contrat ne pourraient-ils donc pas afficher leurs convictions religieuses ? Une loi sur la laïcité s'appliquerait-elle à tous les élèves, par souci d'équité envers les religions – dans la mesure où les musulmans n'ont pas encore d'écoles privées sous contrat –, ou bien serait-elle limitée à l'enseignement public ? Une autre difficulté surgit alors : que faire du régime spécifique des départements d'Alsace-Moselle ? Par conséquent, une loi sur les signes religieux dans les établissements scolaires poserait plus de difficultés qu'elle n'en résoudrait.

Nous préconisons tout d'abord de dresser un bilan, afin de connaître, à l'unité près, la situation dans les établissements scolaires. Il est manifeste que très peu d'élèves affichent des symboles religieux dans les écoles. Un interdit ne ferait-il pas croître le nombre d'écolières voilées ?

Ensuite, il faut donner aux équipes pédagogiques le soutien dont elles ont besoin ; nous devons être fermes sur les principes, pour que les chefs d'établissement puissent être souples sur le terrain. Il est essentiel que le texte élaboré soit pratique, c'est-à-dire qu'il soit aisément applicable, pour que les équipes enseignantes ne soient pas désemparées.

Enfin, nous voulons privilégier le règlement plutôt que la loi : il suffirait de reprendre la circulaire Bayrou de 1994, au besoin en y faisant quelques ajouts. Il y était déjà indiqué que les signes ostentatoires étaient en eux-mêmes des actes de prosélytisme. On pourrait ajouter que certains d'entre eux contreviennent en eux-mêmes aux principes qui fondent l'école de la république.

Ainsi la question des signes religieux à l'école pourrait-elle être résolue par l'élaboration d'un **code de la laïcité**, qui reprendrait, sous une forme simplifiée et solennelle, tous les textes qui fondent l'architecture juridique de la laïcité dans notre pays. Nous excluons en tout cas toute modification de la loi de 1905 de séparation de l'Église et de l'État : ce serait prendre le risque d'ouvrir une nouvelle période de tensions et d'affrontements. Parce que cette loi a représenté un véritable choc dans la société, il ne faut pas toucher à cette loi, ce qui reviendrait à rouvrir l'abcès. Ces sujets sont toujours aussi passionnels, explosifs et brûlants qu'en 1905, et peut-être même qu'au temps des guerres de religion.

C'est dans le cadre de ce code que nous pourrons trouver des adaptations à la législation, mais qui doivent se limiter à des adaptations. Nous redoutons l'idée d'une loi, qui serait à la fois inutile et dangereuse : il s'agit d'un domaine explosif, qui demande de la réflexion et de la prudence. Le remède risque ainsi d'être pire que le mal.

Sur cette question des signes religieux, toute action doit, selon nous, faire référence à trois principes : le respect conjoint du principe de la laïcité et du principe de la liberté de conscience, le respect de toutes les communautés et le refus du communautarisme, l'affirmation de la non-discrimination et de la primauté de la loi dans l'espace public et notamment à l'école, tout en refusant autant l'intégrisme laïque que l'intégrisme islamiste. Ainsi pourrons-nous réaffirmer à la fois la mission de l'école républicaine, qui n'est pas d'exclure, mais d'intégrer, et le principe de laïcité conçu comme le fondement de notre société et de notre régime républicain.

Enfin, faut-il souligner qu'une fois de plus la France résiste mal à l'idée que par une loi on peut tout régler. Comme s'il suffisait de légiférer pour résoudre un problème. Une fois encore notre pays s'attaque aux conséquences d'un mal plutôt qu'à ses causes. Or c'est sur la cause qu'il faut concentrer toute notre énergie. Le « creuset républicain » est aujourd'hui un mot de tribune pour les hommes politiques en mal d'idées plus qu'une réalité. Il nous appartient de redonner à la France sa capacité d'intégration ; de redonner à chacun un espoir, une place, un horizon dans la société française. Alors la question du voile sera en voie d'être réglée.

CONTRIBUTION DES MEMBRES DE LA MISSION APPARTENANT AU GROUPE DES DÉPUTÉ(E)S COMMUNISTES ET RÉPUBLICAINS [1]

La laïcité est un des fondements de notre pacte républicain. Elle appartient au patrimoine idéologique national. Elle ne doit pas être un objet de confrontation politicienne. Elle n'est pas l'apanage de la droite ou de la gauche. Elle est une de nos valeurs clés qui a pris forme peu à peu, en particulier depuis la Révolution et qui donne une identité universaliste particulière qui caractérise notre État d'une façon essentielle. Ainsi que l'écrit Régis Debray : « La laïcité n'est pas une option spirituelle parmi d'autres, elle est ce qui rend possible leur coexistence, car ce qui est commun en droit à tous les hommes doit avoir le pas sur ce qui les sépare en fait ».

La laïcité doit, dans cet esprit, être traduite dans les faits de manière permanente et vigilante. Dans les établissements d'enseignement, le principe de laïcité est une protection nécessaire pour tous les acteurs de la communauté éducative. La liberté d'expression reconnue aux élèves dans les collèges et les lycées par l'article L. 511-2 du code de l'Éducation ne saurait être interprétée comme la possibilité de reproduire les conflits et les difficultés de notre société dans les établissements.

La liberté d'expression reconnue à chaque élève trouve sa limite dans le respect de la liberté des autres élèves. Le port de signes religieux à l'école est, pour certains intégristes – à quelque religion qu'ils appartiennent – une composante d'une stratégie de remise en cause globale de la laïcité.

Il est donc nécessaire de clarifier le droit et de rétablir ainsi une cohérence nationale – la jurisprudence n'y ayant pas contribué de manière satisfaisante – en fournissant des éléments précis aux chefs d'établissement et aux enseignants. C'est la responsabilité spécifique du législateur.

Le principe de laïcité doit s'appliquer à l'ensemble du service public de l'éducation, que l'enseignement soit dispensé dans des établissements d'État ou dans des établissements sous contrats financés par les fonds publics. Ces établissements sont appelés, les uns et les autres, dans les mêmes conditions, à bénéficier de toute disposition législative nouvelle.

---

[1] MM. Jean-Pierre BRARD, Jacques DESALLANGRE

CONTRIBUTION DE M. BRUNO BOURG-BROC,
MEMBRE DE LA MISSION APPARTENANT AU GROUPE UMP

Le rapport qui nous est soumis est le reflet fidèle des auditions et des impressions ressenties par la majorité, voire la totalité des membres de la mission.

Pour autant, et même si j'approuve le Président Debré dans l'essentiel de ses affirmations, notamment lorsqu'il dit que le Parlement n'a pas à se justifier de légiférer, je ne partage pas les conclusions du rapport.

Le débat sur la laïcité, d'une manière générale, et à l'école publique en particulier se pose aujourd'hui, dans des termes différents qu'en 1905. Cependant, l'équilibre qui s'est institué progressivement est délicat, et tout geste qui tendrait à le remettre en cause constitue un danger potentiel pour l'équilibre de notre société. La laïcité n'est pas négociable, affirmait le Président de la République, et il avait raison mais s'il doit y avoir laïcité de l'État, la société, elle, n'est pas laïque.

Or, l'école n'est plus un milieu protégé. N'a-t-on pas coutume de dire qu'elle est la « caisse de résonance » des problèmes de la société ?

Le voile auquel ne doit pas être réduit le port des insignes religieux à l'école, ne peut être considéré comme un simple signe d'appartenance religieuse. De très nombreux interlocuteurs, au premier rang desquels Mme Chérifi, médiatrice nationale pour le problème du voile, nous ont répété qu'il n'était pas un signe religieux, puisqu'il n'y a pas de signe religieux dans l'islam. Alors à quoi bon interdire les signes religieux ou politiques, dès lors que l'on nous affirmerait demain que son port n'a pas de signification religieuse ou politique et qu'en conséquence son interdiction n'a pas lieu d'être ?

Une loi pour être la loi doit être respectée. En a-t-on dans ce domaine le pouvoir ? Je suis convaincu que la liberté de toute personne est un bien indivisible ; ses convictions quelles qu'elles soient, doivent être respectées et laissées libres de s'exprimer pourvu qu'elles ne limitent pas la liberté d'autrui et ne troublent pas l'ordre public.

Or, c'est à l'école que doivent s'apprendre aussi la tolérance, le respect d'autrui, l'écoute des autres, le droit à la différence. On ne s'inquiète pas assez de la dictature des « marques » ou des « modèles de société », véhiculée par les modes vestimentaires (nombrils à l'air, *strings* visibles, *piercings* visibles). N'y a-t-il pas dans tout cela des expressions qui jouent sur le moral de la nation ou sur la vie de la société bien plus profondément que les expressions « religieuses » ?

Dans une école, lieu d'apprentissage de savoir et de comportement, que beaucoup rêvent égalitaire, n'y aurait-il pas lieu d'établir une première forme d'égalité sociale avec le port d'une tenue, non obligatoirement assimilable à l'uniforme ringard d'autrefois, mais qui pourrait être au contraire un objet de fierté pour les jeunes par rapport à leur établissement ? On imagine en regardant l'exemple des compétitions sportives le résultat qu'on pourrait en tirer.

Je regrette que la mission n'ait pas suffisamment exploré cette piste avec le présupposé que notre culture nationale exclut d'emblée ce qui est pourtant, aux yeux de certains, une solution.

En résumé, la loi ne me paraît pas être la solution, car elle signifie pour une part le rejet, l'exclusion, la stigmatisation. Comment ne pas voir le risque que prendrait la République de faire des « martyrs » en s'opposant à une pratique « religieuse » pour certains, identitaire pour d'autres ?

Si j'établis des degrés dans mon refus de la loi, la disposition législative à l'intérieur d'une loi consacrée à l'Éducation rappelant un certain nombre de principes me paraît moins dangereuse qu'une loi spécifique qu'il faut éviter absolument. Mais dans ce cas le rappel des principes républicains dans le code de l'Éducation ou dans un livret pratique comme l'envisage le ministre de l'éducation nationale n'est-il pas suffisant ?

En revanche, l'absence de distinction entre le port « ostentatoire » et le port « ordinaire », même si cela paraît plus simple pour une éventuelle interprétation ne me paraît pas justifiée. L'ostentation a, de toute évidence, une autre signification que celle d'un port discret et cette piste me paraît être une fausse bonne idée, dangereuse potentiellement pour les libertés individuelles.

À l'évidence, toute autre disposition qui mettrait en cause le caractère propre – reconnu par la Constitution – de l'enseignement privé sous contrat ne me paraît pas admissible. Mais je ne fais que le rappeler, compte tenu de l'abandon total de cette proposition par la mission.

Enfin, puis-je souligner que nous avons une Histoire spécifique à notre pays. Si la laïcité – conçue comme une philosophie de tolérance, de neutralité et non comme un instrument idéologique de combat – est aujourd'hui un des principes fondateurs de la République, nous avons des racines spirituelles, culturelles, judéo-chrétiennes. Nous aurions tort de vouloir les méconnaître et les ignorer.

Pour toutes ces raisons, je m'abstiendrai dans le vote du rapport qui nous est proposé.

CONTRIBUTION DE M. LIONNEL LUCA,
MEMBRE DE LA MISSION APPARTENANT AU GROUPE UMP

J'ai souhaité, à travers les entretiens que j'ai pu avoir avec les représentants du monde de l'éducation dans ma circonscription, me faire l'interprète de leurs préoccupations :

Pour le monde religieux catholique, la France n'est pas une terre vierge, elle a un passé, une histoire. Le clergé exprime sa crainte d'une loi « rouleau compresseur » qui ne tienne pas compte de l'histoire ; il souhaite que l'on distingue les vêtements du culte des signes religieux ; si le voile est un signe strictement religieux, cela n'est pas dérangeant, sauf s'il y a autre chose sur le plan politique et social. Des réticences se sont exprimées contre une loi, par crainte de régression.

Pour les chefs d'établissement, une loi n'est pas nécessaire. Un aménagement des textes serait un moyen pour les filles musulmanes de refuser la soumission que leur impose le voile. Le voile est considéré comme une atteinte à la dignité de la femme ; en effet, il faut distinguer le voile qui n'est pas la même chose que la croix ou la kippa, sachant que la croix peut être portée aussi bien par les filles que par les garçons.

Au nom de toutes les différences, on ne peut pas accepter que des communautarismes imposent leur vue car cela ne peut se faire qu'au détriment des autres. S'il y a une loi, le problème se posera de la scolarité obligatoire en cas d'application stricte de celle-ci.

Pour les parents d'élèves de confession musulmane, l'islam n'a jamais dit de porter le voile et dans un certain nombre de pays musulmans, le voile n'est pas autorisé dans les lieux publics. Les parents d'élèves considèrent que le voile est une régression.

CONTRIBUTION DE M. JACQUES MYARD,
MEMBRE DE LA MISSION APPARTENANT AU GROUPE UMP

J'approuve les conclusions de la mission sur le port des signes religieux et politiques à l'école et sur la modification législative qui est proposée.

Le principe d'interdiction du port visible de tout signe d'appartenance religieuse ou politique est en effet de nature à mettre un terme à la dérive politico-communautariste actuelle.

Il va de soi cependant qu'un tel principe d'interdiction ne doit pas faire obstacle au port discret d'un petit pendentif quel qu'il soit. Il reviendra au décret d'application de la loi de le préciser.

Je regrette qu'il n'y ait pas eu de consensus pour les écoles privées sous contrat, même si une majorité s'est dégagée pour que ces établissements privés suivent la même règle que les établissements publics.

Cela est d'autant plus logique qu'il est clairement apparu que le voile n'est que la face émergée d'un statut minoritaire de la femme incompatible avec les lois d'ordre public de la République. De surcroît, les activistes qui instrumentalisent ces jeunes filles veulent aller beaucoup plus loin en imposant leur dogme religieux aux lois de la République.

Dans ces conditions, comment peut-on concevoir et admettre que les écoles privées sous contrat qui appliquent les programmes de l'Éducation nationale puissent se rendre complices de ces activistes fondamentalistes en étant aveugles à leur prosélytisme ?

Je suis certain que ces établissements privés sous contrat en prendront conscience et appliqueront sans faiblir, dans leur intérêt bien compris, les lois de la République.

CONTRIBUTION DE MME MICHÈLE TABAROT,
MEMBRE DE LA MISSION APPARTENANT AU GROUPE UMP

Je m'associe pleinement à l'option choisie par la mission d'introduire une disposition législative, simple, brève et claire et le moins possible sujette à interprétation visant à **interdire le port de signes religieux** dans les établissements scolaires.

◆ Pourquoi une loi est-elle nécessaire ?

À mon sens, une intervention législative est nécessaire pour trois raisons majeures :

- Il faut répondre à l'attente très forte exprimée par les chefs d'établissement d'un cadre juridique clair leur permettant de prendre des décisions incontestables.

Il est regrettable aujourd'hui, du fait de l'absence de règle précise, que les chefs d'établissement rendent leur décision au cas par cas, selon leur interprétation et leur sensibilité.

Ils ont clairement exprimé qu'ils ne souhaitent plus assumer ce rôle et demandent, pour la plupart, que le législateur prenne ses responsabilités.

Dans ma circonscription, j'ai recueilli l'expérience et l'avis de l'ensemble des proviseurs et principaux, qui pour nombre d'entre eux ont été confrontés au cours de leur carrière à ce problème.

Pour environ 90 %, l'avis du Conseil d'État et la circulaire ministérielle ne sont pas suffisants et ne permettent pas de répondre aux problèmes posés. Environ 80 % souhaitent donc une loi pour clarifier les règles.

- Le voile islamique est le symbole d'une discrimination à l'égard des femmes.

Il ne faut pas éviter de porter un jugement sur la signification du voile pour la condition de la femme.

Le voile renvoie à une restriction de la mixité, de la liberté individuelle, et met à mal l'égalité des sexes.

Si le port du voile est une prescription religieuse, une obligation pour les femmes, celui-ci est contraire aux principes fondateurs de notre République.

Accepter le port du voile au nom de la lutte contre les préjugés islamophobes n'est pas une démarche de tolérance.

C'est devenir le complice d'une lecture intégriste du Coran contre laquelle de nombreuses femmes musulmanes se battent.

En ce sens, le voile ne doit pas être accepté dans l'enceinte de l'école qui doit rester le lieu de transmission des valeurs conformes à l'esprit des droits de l'homme.

De nombreuses jeunes filles portent le voile par contrainte d'un environnement souvent très pressant.

Certaines jeunes filles voilées sont ainsi manipulées par ces organisations qui font d'elles le « cheval de Troie » d'un islam conquérant.

Certaines le portent par choix mais comment pouvons-nous mesurer la liberté de ce choix à un âge où l'on est sensible aux influences du monde adulte et de la tradition ?

Interdire le port du voile à l'école, c'est donc aussi apporter une aide à ces jeunes filles que certains fondamentalistes veulent plonger dans l'exclusion.

En aucun cas, nous ne pouvons cautionner l'action de ceux qui obligent à la soumission et qui souhaitent signifier à notre société leur conception de l'inégalité de la femme.

- Il faut adresser un signe très fort aux fondamentalistes qui menacent la République.

Au cours des auditions, nous avons pu mesurer le développement, en France, d'un intégrisme islamiste qui se veut prosélyte et actif.

Cette menace n'apparaît pas forcément au grand jour et se drape dans la vertu démocratique et la liberté d'expression.

De nombreuses associations très organisées se développent, en particulier dans certaines banlieues au contexte social difficile.

Elles encouragent la pratique d'un islam radical ayant pour objectif de déstabiliser les valeurs qui fondent notre société.

Cette menace est réelle et inquiétante.

Le législateur se doit de réagir sur la question du port du voile à l'école car elle est au cœur d'une opposition entre les laïques et ceux dont l'objectif est que la religion puisse se substituer à une loi égale pour tous.

♦ **Concernant le champ d'application d'une mesure législative d'interdiction**

Pour être totalement efficace, cette interdiction doit être généralisée à l'ensemble des composantes de l'Éducation nationale : les établissements publics d'enseignement bien évidemment mais aussi les établissements privés sous contrat avec l'État.

C'est une nécessité pour plusieurs raisons :

- **Les établissements privés sous contrat sont des partenaires de l'État** et participent à ce titre au service public de l'Éducation nationale, ils doivent donc appliquer les mêmes règles.

- **L'allocation de fonds publics par l'État à ces établissements implique le respect de certains principes républicains fondamentaux :** le respect de l'égalité, la liberté.

- Le contrat avec l'État implique que **tous les enfants qui le souhaitent, quelle que soit leur confession ou leur croyance, doivent être accueillis dans les établissements privés sous contrat.**

Une interdiction circonscrite aux établissements publics risque de pousser de nombreuses jeunes filles à se tourner vers les établissements privés sous contrat.

Le regroupement dans certains établissements privés de ces jeunes filles dissuadera probablement de nombreuses familles de laisser leurs enfants dans ces établissements.

Le risque est donc réel de simplement déplacer le problème et de créer, à terme, des écoles communautaristes subventionnées par l'État.

CONCLUSION :

La mission avait pour objectif de réaliser un état des lieux et de faire des propositions sur la question du port des signes religieux à l'école.

Au cours de nos travaux, il est clairement apparu que le problème posé à l'école se pose de la même manière dans de nombreux services publics.

L'école n'est malheureusement pas le seul lieu de revendication des fondamentalistes et de ceux qui souhaitent une discrimination à l'égard des femmes.

Les personnels des hôpitaux, des installations sportives, des palais de Justice, des transports en commun sont confrontés aux mêmes demandes de traitement particulier.

Cette dérive est inacceptable et les personnels concernés se sentent souvent dépourvus de moyens d'agir.

Il est donc indispensable que l'action qui sera engagée pour le respect de la laïcité à l'école soit étendue avec la même fermeté dans l'ensemble de la sphère publique.

CONTRIBUTION DE

MME MARIE-JO ZIMMERMANN ET DE M. YVES JEGO, MEMBRES DE LA MISSION APPARTENANT AU GROUPE UMP

Il aurait été préférable de retenir le terme d'« ostentatoire » plutôt que celui de « visible » dans l'article unique de la proposition de modification législative, et il est vivement souhaitable que le futur débat parlementaire aille dans ce sens.

Il importe également d'accompagner cette proposition en expliquant quel est son objectif – qui n'est pas de remettre en cause la loi de 1905 – afin d'éviter une hostilité regrettable à cette mesure.

CONTRIBUTION DE M. CHRISTIAN BATAILLE,
MEMBRE DE LA MISSION APPARTENANT
AU GROUPE SOCIALISTE.

Peu à peu, le principe de laïcité et la défense de l'école laïque sont beaucoup moins source de polémiques et de conflits et apparaissent aujourd'hui comme un véritable principe national, un socle républicain. L'interdiction des signes religieux visibles dans les établissements d'enseignement est désormais une opinion presque consensuelle.

Parce qu'ils sont sous contrat avec l'État, la très grande majorité des établissements privés d'enseignement devraient être soumis aux mêmes obligations que l'école publique. Par conséquent, la règle d'interdiction de tout signe visible d'appartenance religieuse ou politique devrait concerner les écoles privées qui participent du service public d'enseignement. Dans le cas contraire, on peut craindre que les écoles privées ne deviennent le refuge des intégrismes religieux.

L'enseignement du fait religieux que prône le ministre de l'éducation nationale est redondant par rapport au contenu des enseignements aujourd'hui. Par contre, ce dont l'école a besoin, aujourd'hui, c'est d'un enseignement de la laïcité, afin d'inculquer à nouveau une véritable morale laïque et républicaine.

À deux ans du centenaire de la loi de 1905, les principes de laïcité de notre République n'ont pas pris une ride.

CONTRIBUTION DE M. JEAN GLAVANY,
MEMBRE DE LA MISSION APPARTENANT
AU GROUPE SOCIALISTE.

I.- Le principe de laïcité ne saurait se résumer à cette proposition législative.

Il y a, semble-t-il, une formidable contradiction, à moins que ce soit une incohérence majeure dans le rapport de la mission entre le très beau et le très complet développement – développement fort riche, fruit d'un travail exemplaire – sur la valeur de laïcité, son histoire, sa signification profonde dans la société française, le modèle républicain original qu'elle définit... et le caractère partiel et ponctuel de la proposition de loi issue des travaux de la mission.

L'explication est simple : la laïcité ne se résumant pas à l'interdiction du port de signes religieux à l'école, interdire ceux-ci – aussi nécessaire que cela soit – ne suffit pas à réaffirmer le principe de laïcité.

C'est pourquoi l'affichage de l'objectif d'une réaffirmation – politique et symbolique – par la loi du principe de laïcité à l'école, reprise plusieurs fois dans la quatrième partie du rapport, apparaît comme excessivement ambitieux.

Encore une fois, la laïcité ne saurait se résumer à ce problème ponctuel. Tout ce qui est écrit avant le montre. Et laisser ces phrases en l'état prouverait qu'on n'a rien d'autre à dire sur la laïcité.

C'est pourquoi, il paraîtrait nécessaire d'écrire ces phrases autrement :

« Affirmer par la loi que l'application concrète du principe de laïcité nécessite, notamment aujourd'hui, d'interdire clairement et fermement le port visible de signes religieux dans nos écoles. »

ou bien

« L'application du principe de laïcité nécessite une réaffirmation claire dans un domaine où elle est discutée. »

II.- L'absence du temps du dialogue.

D'autre part, il est à craindre vivement qu'une telle loi soit utilisée trop rapidement par des chefs d'établissement pour sanctionner sans coup féru les élèves portant un voile et les exclure. Or, la mission de l'école de la République est d'intégrer, pas d'exclure. C'est pourquoi il paraît indispensable de préciser <u>dans la loi</u> que le temps du dialogue, de la pédagogie, de la conviction, doit précéder une éventuelle sanction.

III.- L'exclusion du dispositif de l'Alsace-Moselle, de plusieurs T.O.M. et des établissements privés sous contrat qui bénéficient d'une délégation de service public crée une inégalité des citoyens devant la loi qui paraît très contestable quand il s'agit de réaffirmer l'application d'un principe républicain. La République s'arrêterait-elle à ces portes ? Il faudrait, pour le moins, affirmer que l'idéal serait que la République soit une et indivisible aussi pour l'application concrète de la laïcité et que seul le principe de réalité et la volonté de ne pas rallumer de guerres inutiles nous obligent à ne pas être plus ambitieux.

GLOSSAIRE

APHG	Association des professeurs d'histoire et de géographie
BOLIM	Bureau de la ligue islamique mondiale
BTS	Brevet de technicien supérieur
CAPES	Certificat d'aptitude pédagogique à l'enseignement secondaire
CCMTF	Comité de coordination des musulmans turcs de France
CE	Conseil d'État
CELSA	Centre d'études littéraires des sciences appliquées
CFCM	Conseil français du culte musulman
CGT	Confédération générale du travail
CNAL	Comité national d'action laïque
CNRS	Centre national de recherche scientifique
CPE	Conseiller principal d'éducation
CRIF	Conseil représentatif des institutions juives de France
DCRG	Direction centrale des renseignements généraux
DESCO	Direction de l'enseignement scolaire
DESS	Diplôme d'études supérieures spécialisées
DEUG	Diplôme d'enseignement universitaire général
DST	Division de la sécurité du territoire
ECJS	Éducation civique, juridique et sociale
EHSS	École des hautes études en sciences sociales
ENA	École nationale d'administration
EPS	Éducation physique et sportive
FCPE	Fédération des conseils de parents d'élèves
FEN	Fédération de l'Éducation nationale
FERC	Fédération de l'éducation, de la recherche et de la culture
FIS	Front islamique du salut
FLN	Front de libération nationale
FNMF	Fédération nationale des musulmans de France
FO	Force ouvrière
FSU	Fédération syndicale unitaire
HCI	Haut conseil à l'intégration

IEP	Institut d'études politiques
IUFM	Institut universitaire de formation des maîtres
LICRA	Ligue contre le racisme et l'antisémitisme
MRAP	Mouvement contre le racisme et pour l'amitié entre les peuples
ONU	Organisation des Nations unies
PEEP	Association des parents d'élèves de l'enseignement public
PEGC	Professeur d'enseignement général des collèges
RG	Renseignements généraux
SE	Syndicat d'enseignants
SIEC	Service interacadémique des examens et concours
SNES	Syndicat national des enseignants du second degré
SNPDEN	Syndicat national des personnels de direction de l'Éducation nationale
SNUIPP	Syndicat national unitaire des instituteurs et des professeurs d'école et des Pegc
SRPJ	Service régional de la police judiciaire
SVT	Sciences et vie de la Terre
UBF	Union bouddhiste de France
UFAL	Union des familles laïques
UNAPEL	Union nationale des parents d'élèves de l'enseignement libre
UNSA	Union nationale des syndicats autonomes
UOIE	Union des organisations islamiques européennes
UOIF	Union des organisations islamiques de France
ZEP	Zone d'éducation prioritaire
ZUS	Zone urbaines sensibles

ANNEXES

Annexe 1 :   Sondage BVA : l'opinion publique en question : le port de signes religieux

Annexe 2 :   Forum d'expression sur le port des signes religieux à l'école (site internet de l'Assemblée nationale)

Annexe 3 :   Tableau comparatif sur le port des signes religieux dans les autres pays de l'Union européenne, au Québec et dans quelques pays musulmans (étude du ministère des affaires étrangères, effectuée à la demande de la mission)

Annexe 4 :   Note de la direction des Affaires juridiques du ministère de la jeunesse, de l'éducation nationale et de la recherche sur le port de signes d'appartenance religieuse dans les établissements publics (10 mars 2003)

BVa ACTUALITÉ   NOVEMBRE 2003

L'OPINION EN QUESTION :

LE PORT DE SIGNES RELIGIEUX

Ce sondage est réalisé pour

Publié dans le vendredi 21 novembre 2003

Publié dans le vendredi 21 novembre 2003

Diffusé sur  le jeudi 20 novembre 2003 dans

l'émission L'opinion en question à 20h30

PERCEPTION DE LA DÉFENSE DE LA LAÏCITÉ PAR LES POUVOIRS PUBLICS

Avez-vous le sentiment que les pouvoirs publics défendent la laïcité avec détermination ?

		Ensemble Nov. 03	Sympathisants de gauche	Sympathisants de droite	Sans proximité partisane
Oui tout à fait		13	14	16	10
Oui plutôt		38	38	45	27
	S/T Oui	51	52	61	37
Non plutôt pas		34	37	29	33
Non pas du tout		9	10	5	16
	S/T Non	43	47	34	49
(NSP)		6	1	5	14
Total		100	100	100	100

Sondage réalisé par l'Institut BVA auprès d'un échantillon représentatif de la population française âgée de 18 ans et plus.

954 personnes ont été interrogées du 14 au 15 novembre 2003 par téléphone.

Echantillonnage par la méthode des quotas : sexe, âge, profession du chef de famille, après stratification par régions et catégories d'agglomération.

En ce qui concerne la pratique religieuse des catholiques, ont été considérés comme pratiquants réguliers ceux qui nous ont répondu aller à la messe plusieurs fois par semaine, tous les dimanche (ou samedi) ou une à deux fois par mois.
Ceux nous ayant répondu aller à la messe de temps en temps aux grandes fêtes ont été considérés comme pratiquants occasionnels et ceux n'y allant jamais ou que pour les cérémonies, les mariages... ont été considérés comme non pratiquants.

LE PORT DE SIGNES RELIGIEUX DANS LES ÉCOLES PUBLIQUES

*Vous savez que la mission parlementaire dirigée par Jean-Louis Debré propose que soit interdit le port visible de tout signe d'appartenance religieuse et politique dans les **écoles publiques**.*
Vous personnellement, êtes-vous tout à fait favorable, plutôt favorable, plutôt opposé ou tout à fait opposé à une telle loi ?

	Ensemble Nov. 03	Sympathisants de gauche	Sympathisants de droite
Tout à fait favorable	40	36	50
Plutôt favorable	32	35	29
S/T Favorable	*72*	*71*	*79*
Plutôt opposé à la loi	16	19	12
Tout à fait opposé	7	7	7
S/T Opposé	*23*	*26*	*19*
(NSP) à la loi	5	3	2
Total	**100**	100	100

	Ensemble Nov. 03	Catholique dont pratiquants réguliers	Catholique dont pratiquants occasionnels	Catholique dont non pratiquants	Autre religion	Sans religion
Tout à fait favorable	40	34	41	42	29	45
Plutôt favorable	32	31	27	36	30	28
S/T Favorable	*72*	*65*	*68*	*78*	*59*	*73*
Plutôt opposé	16	20	15	13	24	17
Tout à fait opposé	7	11	9	6	10	5
S/T Opposé	*23*	*31*	*24*	*19*	*34*	*22*
(NSP)	5	4	8	3	7	5
Total	**100**	100	100	100	100	100

LE PORT DE SIGNES RELIGIEUX DES ÉCOLES PRIVÉES SOUS CONTRAT

Et si l'on proposait que soit interdit le port visible de tout signe d'appartenance religieuse et politique dans les écoles privées sous contrat, seriez-vous tout à fait favorable, plutôt favorable, plutôt opposé ou tout à fait opposé à une telle loi ?

	Ensemble Nov. 03	Sympathisants de gauche	droite
Tout à fait favorable	26	26	28
Plutôt favorable	30	34	27
S/T Favorable	56	60	55
Putôt opposé	23	24	26
Tout à fait opposé	13	12	16
S/T Opposé	36	36	42
(NSP)	8	4	3
Total	100	100	100

	Ensemble Oct. 03	Catholique dont pratiquants réguliers	dont pratiquants occasionnels	dont non pratiquants	Autre religion	Sans religion
Tout à fait favorable	26	21	22	26	16	32
Plutôt favorable	30	20	31	35	19	33
S/T Favorable	56	41	53	61	35	65
Putôt opposé	23	26	25	21	35	20
Tout à fait opposé	13	24	15	11	18	8
S/T Opposé	36	50	40	32	53	28
(NSP)	8	9	7	7	12	7
Total	100	100	100	100	100	100

PERCEPTION DE L'ATTITUDE DE L'EGLISE

L'Eglise catholique est actuellement hostile à ce qu'une nouvelle loi soit votée concernant le port des signes religieux à l'école. D'après ce que vous en savez, cette attitude de l'Eglise s'explique en priorité :

	Ensemble Nov. 03	Sympathisants de	
		gauche	droite
Par une volonté de tolérance religieuse	36	33	46
Par une méfiance à l'égard de la laïcité	50	58	46
(NSP)	14	9	8
Total	100	100	100

	Ensemble Nov. 03	Catholique				Autre religion	Sans religion
		dont pratiquants réguliers	dont pratiquants occasionnels	dont non pratiquants			
Par une volonté de tolérance religieuse	36	55	49	33		22	30
Par une méfiance à l'égard de la laïcité	50	24	41	53		62	58
(NSP)	14	21	10	14		16	12
Total	100	100	100	100		100	100

en d'autres circonstances

ASSEMBLÉE NATIONALE

ANNEXE 2

RÉPUBLIQUE FRANÇAISE

LIBERTÉ – ÉGALITÉ - FRATERNITÉ

SERVICE DE LA COMMUNICATION
ET DE L'INFORMATION MULTIMÉDIA

Paris, le 2 décembre 2003

**~ Bilan du forum en ligne
sur la question du port des signes religieux à l'école ~**

Ouvert à la demande du Président de l'Assemblée nationale, Président de la mission d'information sur la question du port des signes religieux à l'école, le 22 octobre 2003, le forum en ligne consacré à la question du port des signes religieux à l'école a fait l'objet de plus de **2 250 messages publiés.**

L'annonce de la création du forum, par voie d'un communiqué et par une mention (et un lien hypertexte) sur la page d'accueil du site Internet de l'Assemblée nationale[1], a été reprise par quelques organes de presse (*La Croix* et *Le Nouvel Observateur*), ainsi que par quelques sites Internet, dont des sites de députés.

Le forum a rapidement suscité un vif intérêt : 430 messages avaient déjà été déposés 24 heures après la mise en ligne du forum. Après quelques jours, le rythme de dépôt des messages est allé *decrescendo*. Plus de 1 800 messages ont été déposés avant la publication des premières conclusions de la mission d'information (12 novembre 2003), 450 après leur diffusion sur le site.

Le nombre de messages recueillis est sans commune mesure avec celui observé en d'autres circonstances et sur d'autres sujets. Ainsi, un forum ouvert sous la précédente législature, à la demande du rapporteur de la commission d'enquête sur la sécurité sanitaire de la filière alimentaire, avait recueilli une centaine de messages.

La répartition entre messages « initiaux » (1 050) et messages en « réponse » (1 200) indique que le forum a été très interactif et qu'il a permis un échange entre les intervenants.

Comme il est de règle sur le site de l'Assemblée nationale et sur l'ensemble des sites institutionnels, le **forum était « modéré »**, c'est à dire que chaque message déposé était lu avant d'être publié ou supprimé.

---

[1] *Le site de l'Assemblée nationale était visité par 278.000 personnes différentes en octobre 2003.*

Plusieurs centaines de messages (entre 300 et 400) ont été supprimés en raison de leur contenu comportant, soit des allégations racistes, antimusulmanes ou antireligieuses, soit des mises en cause personnelles (du Premier ministre, de ministres, d'anciens ministres, de journalistes, ...), soit des développements hors sujet. Certains de ces messages révélaient des « pulsions » extrémistes et violentes à l'encontre du voile islamique dont il convient sans doute de tenir compte, même s'il était évidemment impossible d'en faire état sur le site de l'Assemblée nationale.

Un tout petit nombre de messages publiés (moins d'une dizaine) tendait à critiquer, en termes très mesurés, l'ouverture de ce forum, au motif qu'il s'agirait d'un simple « gadget » destiné à camoufler « l'inertie des pouvoirs publics » ; quelques dizaines de messages critiquaient également « les atermoiements des pouvoirs publics », l'absence de décisions tangibles, la création de missions d'information ou de réflexions, tant du côté du Gouvernement, que du côté du Parlement, au lieu et place de « décisions fermes et sans équivoque ».

Un grand nombre d'internautes, en revanche, se félicitaient de la création du forum et de la possibilité ainsi donnée aux citoyens de s'exprimer sur ce sujet.

Sur le fond, une forte proportion d'intervenants (plus de 90 % au début du forum, environ 75 % au terme des quinze premiers jours, 60 % en toute fin de période) étaient très opposés au port de signes religieux à l'école, plus particulièrement au port du voile. Cette hostilité de principe était souvent (environ 25 % des intervenants) fondée sur **le respect des traditions françaises et, de façon plus ou moins explicite, chrétiennes.** Une forte minorité (environ 30 %) mettait en exergue le respect des **principes laïques,** sans aucune référence aux traditions. Une partie de ces derniers demandait que **l'interdiction du voile islamiste soit généralisée à l'interdiction du port de n'importe quel signe religieux,** sous quelque forme que ce soit, et de quelque religion que ce soit. D'autres, en revanche, souhaitaient prohiber le port de signes « ostentatoires » et laisser intacte la possibilité de porter des signes « discrets » et de petite dimension. Quelques dizaines de messages évoquaient les atteintes qui seraient déjà portées au principe de laïcité, qu'il s'agisse des aumôneries au sein des établissements scolaires publics ou du régime particulier appliqué en Alsace-Moselle.

Peu à peu, un nombre croissant d'intervenant(e)s se sont déclaré(e)s opposé(e)s au port des signes religieux à l'école et hors de l'école, en critiquant **la portée « sexiste » et anti-féministe du voile islamique.** Ces prises de position ont suscité des messages de sens contraire, publiés par des femmes de confession musulmane réfutant toute idée de « soumission des femmes musulmanes » au travers du voile.

Quelques internautes ont évoqué les **risques de fraude aux examens** (ou aux devoirs) liés au port du voile à l'école et aux possibilités de dissimulation d'écouteurs ou de micro-ordinateurs.

Une **forte minorité d'intervenants (environ 25 %), généralement de religion musulmane déclarée**, était favorable à la liberté du port de signes religieux, mettant en exergue les principes du culte musulman ou/et la liberté individuelle. En fin de période (fin novembre, début décembre), les interventions en ce sens sont devenues proportionnellement plus nombreuses, mais aussi plus « organisées ». Parmi les intervenants favorables au port du voile, une faible minorité n'évoquait aucun principe religieux, mais uniquement le **principe de liberté individuelle**, soulignant les risques liés à une mesure d'interdiction, qui pourrait être le prétexte de nouvelles « provocations islamistes ». Un peu plus d'une centaine, préconisent l'instauration d'un uniforme obligatoire à l'école.

Sur la question de savoir si **l'interdiction du voile doit passer par la loi**, on note une majorité significative (de l'ordre de 75 % de ceux qui s'expriment clairement sur cette question, soit environ un quart de l'ensemble des interventions) de personnes favorables à la loi et à la réaffirmation très solennelle du principe de laïcité, estimant qu'il n'est pas raisonnable de laisser aux responsables des établissements scolaires une responsabilité aussi lourde, en prenant le risque de positions discordantes de la part de chefs d'établissements voisins. A l'inverse, une forte minorité (le quart restant) juge qu'une nouvelle loi n'est pas utile, compte tenu de la loi de 1905 et de l'ensemble des principes déjà fixés, qu'il suffirait de rappeler et de faire respecter, sans faiblesse. Certains (quelques dizaines de messages) soulignent les risques qu'il y aurait à adopter un texte législatif spécifique qui risque de stigmatiser l'attitude des personnes de religion musulmane et de provoquer, en définitive, des tensions exacerbées.

Si les propos reflètent globalement assez bien les termes du débat, la **représentativité des messages publiés sur ce forum reste toutefois incertaine**. Ce type de forum en ligne est d'abord « accaparé » par des personnes dont les opinions sont tranchées ou plus affirmées que celles de la grande majorité de la population ; par ailleurs on ne peut écarter le risque d'une certaine « manipulation » explicite, par des groupes organisés (« nationalistes » ou « traditionalistes » d'un côté, « islamistes » de l'autre) ou implicite, par le jeu des informations échangées sur Internet et des sites « partisans ».

—›‹›‹—

- risques liés à une mesure d'interdiction
- tensions exacerbées
- manipulation par des groupes organisés (nationalistes, traditionalistes, islamistes)

ANNEXE 3

MAE / Conseiller pour les Affaires religieuses
N° 539 / CAR

Paris, le 30 octobre 2003

LES SIGNES RELIGIEUX
DANS L'UNION EUROPEENNE, AU QUEBEC ET DANS QUELQUES PAYS MUSULMANS

	CADRE JURIDIQUE	GESTION DES DEMANDES D'EXPRESSION RELIGIEUSE A L'ECOLE	JURISPRUDENCE (ECOLE)	JURISPRUDENCE (MONDE DU TRAVAIL)	DEBAT PUBLIC REFLEXION GOUVERNEMENTALE
Allemagne	Pas de réglementation spécifique. Loi fondamentale garantissant la liberté religieuse (art.4), la neutralité du service public et la non discrimination entre agents de la fonction publique (art.33).	Acceptation du port de signes religieux par les élèves, mais problème lorsqu'il s'agit d'enseignantes. Gestion décentralisée au niveau des chefs d'établissement souvent en relation avec le service de l'Education des Länder. Même situation dans le public et le privé, dans la mesure où les établissements privés doivent être agréés. Demandes de dispenses pour la piscine acceptées, mais refusées pour l'EPS et l'éducation sexuelle. Problème lors des sorties scolaires.	Affaire Ludin. La Cour constitutionnelle (24/09/03) refuse de statuer sur le fond et souligne qu'en l'absence de législation spécifique par le Land, le port du voile par les enseignantes dans les écoles publiques ne peut être refusé. Le Tribunal du travail de Dortmund (16/01/03) autorise une enseignante à porter le voile en Maternelle (absence de prosélytisme ; jeune âge des élèves qui les rend peu sensibles à ce signe religieux).	Cour Constitutionnelle (30/08/03). Le seul fait de porter le voile ne peut justifier un licenciement, s'il ne contrevient pas au règlement intérieur de l'entreprise concernant l'hygiène et la sécurité.	Débat sur le port du voile par les enseignantes à l'école publique (du primaire au lycée). L'avis de la Cour constitutionnelle relance le débat. Position au delà des clivages politiques traditionnels. Risque de morcellement législatif[1]. La plupart des Länder souhaite une position concertée sur cette question.

[1] Les ministères de l'Education de Hesse, Basse-Saxe, Bavière, Berlin favorables à une loi interdisant le voile. Hésitation au Bade Wurtenberg où le Landtag a refusé une telle loi en 1998. Position d'attente de Schleswig-Holstein. Rhénanie Nord Westphalie favorable à une politique libérale.

	CADRE JURIDIQUE	GESTION DES DEMANDES D'EXPRESSION RELIGIEUSE A L'ECOLE	JURISPRUDENCE (ECOLE)	JURISPRUDENCE (MONDE DU TRAVAIL)	DEBAT PUBLIC REFLEXION GOUVERNEMENTALE
Autriche	Pas de dispositif juridique spécifique pour le voile. Loi du 1/07/87 stipulant que la présence d'un crucifix est obligatoire dans la salle de classe si une majorité d'élèves est chrétienne (alinéa 1). (loi s'appliquant au privé comme au public et ne concernant pas le supérieur hormis les Académies pédagogiques).	Pas de problème signalé.	NON	Port du voile autorisé dans les services publics et le monde du travail, sauf exigence d'un uniforme ou raison de sécurité.	Pas de débat public dans un pays habitué aux signes religieux chrétiens dans l'espace public.
Belgique	Pas de réglementation spécifique.	Quelques problèmes dans l'enseignement public, surtout à Bruxelles[2]. Liberté d'action de l'enseignement privé. Enseignement géré au niveau communautaire.	15/07/02, le Conseil d'Etat, saisi par la Communauté française quant à l'interdiction du voile à l'école, s'est déclaré incompétent pour la Communauté française.	Limites au port du voile en raison de l'hygiène et de la sécurité.	Débat concernant la « tenue complète » plutôt que le port du voile stricto sensu. Cette question touche davantage les régions francophones, plus sensibles aux idées laïques.
Danemark	Pas de réglementation spécifique.	Pas de problème signalé. Système éducatif décentralisé au niveau des communes. Responsabilité du chef d'établissement.	NON	31 mai 2000 : loi contre la discrimination raciale. 12 juin 1996 : loi contre la discrimination sur le marché du travail, incluant la non discrimination pour raison religieuse. Jurisprudence : août 2002 ; 5 avril 2002 : voile autorisé, même pour le service à la clientèle, et sous réserve de respect des règles de sécurité et	Août 2003 : le Dansk Folkparti (populiste) propose une loi réglementant le port du voile à l'école en prenant appui sur l'exemple de la France et de la Turquie.

[1] Le 11 décembre 1997, le Tribunal de première instance de Bruxelles a confirmé l'exclusion de 6 jeunes filles voilées d'une école supérieure ouvrière. Le bourgmestre de Bruxelles, Freddy Thielmans, s'est prononcé contre le port du voile à l'école. A Bruxelles, 89% des écoles privées et 78% des écoles publiques refuseraient l'inscription de jeunes filles voilées.

[2] Le 11 décembre 1997, le Tribunal de première instance de Bruxelles a confirmé l'exclusion de 6 jeunes filles voilées d'une école supérieure ouvrière. Le bourgmestre de Bruxelles, Freddy Thielmans, s'est prononcé contre le port du voile à l'école. A Bruxelles, 89% des écoles privées et 78% des écoles publiques refuseraient l'inscription de jeunes filles voilées.

	CADRE JURIDIQUE	GESTION DES DEMANDES D'EXPRESSION RELIGIEUSE A L'ECOLE	JURISPRUDENCE (ECOLE)	JURISPRUDENCE (MONDE DU TRAVAIL) d'hygiène de l'entreprise.	DEBAT PUBLIC REFLEXION GOUVERNEMENTALE
Espagne	Pas de réglementation spécifique. Loi scolaire (2002) fixant les droits et devoirs des élèves, dont la liberté de conscience et le respect des normes d'organisation, de vie collective et de discipline de l'établissement (art. 2.4).	Le MEN recommande une gestion locale. Responsabilité des enseignants et du conseil d'éducation. Février 2002 : affaire de voile dans une école privée (à San Lorenzo del Escorial), réglée par l'intégration de l'élève dans le public. Plusieurs refus d'accorder une demande de dispense pour l'EPS et la musique.	NON	NON	Institut européen de la Méditerranée, créé en avril 2002 (Généralité de Catalogne, Ville de Barcelone, Ministère des Affaires étrangères) : réflexion sur l'immigration et l'intégration. PSOE : la scolarisation des jeunes filles voilées prime.
Finlande	Pas de réglementation spécifique. Autorisation du port du vêtement traditionnel à l'école comme au travail (sami, rom ou autre).	Gestion décentralisée au niveau des établissements gérés par la commune. Quelques problèmes au niveau des cours d'EPS et de musique.	NON	NON	Pas débat public. Faible présence musulmane (2104 pers.). Minorité tatare ancienne bien intégrée Immigration musulmane récente, pratiquant un islam rigoriste, ce qui pourrait entraîner des tensions.
Grèce	Pas de réglementation spécifique. Constitution. Garantie de la liberté de conscience, mais interdiction du prosélytisme donc des signes ostentatoires (art. 13).	Pas de signes religieux hormis ceux de la religion orthodoxe, même pour la minorité musulmane de Thrace.	NON	NON	Pas de débat, vu le lien consubstantiel entre identité nationale et orthodoxie.

	CADRE JURIDIQUE	GESTION DES DEMANDES D'EXPRESSION RELIGIEUSE A L'ECOLE	JURISPRUDENCE (ECOLE)	JURISPRUDENCE (MONDE DU TRAVAIL)	DEBAT PUBLIC REFLEXION GOUVERNEMENTALE
Hollande	Pas de réglementation spécifique.	Pas de problème. Gestion décentralisée au niveau du chef d'établissement et du conseil. Les écoles privées peuvent refuser des élèves. Ex. Une école catholique d'Utrecht a interdit le port du voile comme contraire aux principes de l'établissement	NON	NON	Peu de débat public[3] : non-discrimination et droit à la différence sont les bases de l'intégration à la néerlandaise. Cependant, système des piliers[4] reposant sur le consensus où l'islam peine à trouver sa place.
Irlande	Pas de réglementation spécifique. Constitution : non discrimination en raison de la croyance et de la pratique religieuse (art.44).	Pas d'hostilité pour le port du voile dans les écoles privées comme publiques, mises sur un pied d'égalité par la loi.	NON et refus d'une réglementation restrictive de la pratique religieuse pouvant rappeler les lois pénales britanniques.	NON	NON. Présence musulmane récente et peu nombreuse (19.000 pers.). Tolérance à l'égard des signes religieux chrétiens, et par extension, non-chrétiens, nombreux dans l'espace public.
Italie	Pas de réglementation spécifique.	Laissée à l'appréciation des enseignants et chefs d'établissements.	Jurisprudence des années 1920 autorisant les crucifix dans les lieux publics (écoles, tribunaux). La Cour de cassation (2000) pour l'abrogation de ces dispositions au nom de la laïcité de l'Etat et du respect du pluralisme religieux. Cependant, prévu l'avis du Conseil d'Etat (1988) selon lequel la présence du crucifix n'est pas incompatible avec la liberté religieuse. Pour le Ministère de l'intérieur, cette question doit être réglée au gré	Même jurisprudence concernant la présence de crucifix dans les tribunaux.	Réflexion informelle face à l'afflux récent de migrants musulmans en provenance de Bosnie.

[3] Ex. 2003, affaire autour d'une jeune fille portant un voile cachant tout le visage, à l'école publique.

[4] La système des piliers sous-tend l'organisation des rapports religions/Etat en Hollande. Chaque pilier (catholique, protestant, socialiste, humaniste) organise la vie de ses membres de la naissance à la tombe, à travers des rites collectifs et de multiples institutions dans de nombreux domaines de la vie sociale (écoles, Universités, hôpitaux, syndicats, mutuelles, parti politique). Cependant, la « pilarisation » de la société hollandaise tend à se défaire sous l'emprise de la sécularisation. De plus, cette expression est soumise à caution car seul le pilier catholique est complet.

des circonstances locales.

	CADRE JURIDIQUE	GESTION DES DEMANDES D'EXPRESSION RELIGIEUSE A L'ECOLE	JURISPRUDENCE (ECOLE)	JURISPRUDENCE (MONDE DU TRAVAIL)	DEBAT PUBLIC REFLEXION GOUVERNEMENTALE
Portugal	Pas de réglementation spécifique. Juin 2001, nouvelle loi sur la liberté religieuse mettant sur un pied d'égalité les principales religions	NON	NON	NON	NON
Royaume Uni	Pas de réglementation spécifique.	Enseignement public contrôlé par les autorités éducatives locales. Le Departement of Education and Skills recommande la souplesse quant au port des signes religieux. Dans, les écoles confessionnelles, le voile est accepté pour peu qu'il soit aux couleurs de l'uniforme.	NON	1998 : Human Rights Act autorisant le port de signes religieux ou ethniques (art 9,14). Politique de lutte contre la discrimination raciale, religieuse et culturelle dans la fonction publique.	Tolérance envers les signes religieux et ethniques dans un pays anglican, multiculturel et communautaire. Le débat public concerne davantage le financement public aux écoles privées musulmanes.
Québec	Pas de réglementation spécifique. Les deux chartes des droits de la personne (Québécoise et canadienne) posent le principe de la liberté de religion et de la non discrimination. Loi du 1/07/2000 : redéfinition de la place de la religion à l'école. Abolition des structures confessionnelles de l'éducation primaire et secondaire et du Ministère de l'Education. Création, au niveau du Ministère de l'Education, d'un secrétariat aux affaires religieuses et d'un Comité sur les affaires religieuses (CAR) (consultatif).	Gestion souple au niveau des établissements, selon le principe de l'accommodement raisonnable (recherche de solutions au cas par cas) qui a permis de régler les crises autour du port du *hidjab* ou du *kirpan* (poignard rituels des Sikhs)[5]. La pratique tend à privilégier les exemptions pour les minorités (ex. dispenses pour l'EPS qui ne fait pas l'objet de notation) plutôt que des aménagements spécifiques.	Jurisprudence selon le principe de l'accommodement raisonnable (l'accommodement peut être imposé par un tribunal ou négocié à l'amiable).	Idem.	Mars 2003. Le Comité sur les Affaires Religieuses a publié un avis pour le Ministère de l'Education : « Les rites et symboles religieux à l'école, Défis éducatifs de la diversité ». Sessions de formation prévues en milieu scolaire afin d'aider les enseignants à « regarder toute expression du religieux comme occasion d'éduquer, d'instruire et de socialiser ». Avis en préparation par le Conseil des relations interculturelles (Ministère des relations avec le citoyen et de

[5] La question était autant religieuse et identitaire que de sécurité. La solution trouvée consiste à remplacer le poignard par un pendentif le représentant ou par l'autorisation de son port dans le respect des règles de sécurité : le *kirpan* doit être placé dans un fourreau, enveloppé et cousu dans une étoffe solide et porté sous le vêtement.

l'immigration)

	CADRE JURIDIQUE	GESTION DES DEMANDES D'EXPRESSION RELIGIEUSE A L'ECOLE	JURISPRUDENCE (ECOLE)	JURISPRUDENCE (MONDE DU TRAVAIL)	DEBAT PUBLIC REFLEXION GOUVERNEMENTALE
Maroc	Pas de réglementation spécifique.	NON	NON	Pas d'interdiction sauf dans les forces de police et l'armée. Des pressions contre le port du voile dans le secteur privé.	Réislmaisation des comportements vestimentaires. Les députées du PJD (islamistes) font du port du voile une priorité.
Tunisie	Port du voile interdit par des circulaires ministérielles, à tous les niveaux de l'enseignement, public et privé (peu développé) et dans la fonction publique.	Interdiction du port du voile dans toute l'enceinte de l'école mais gestion souple. Ex. Dans le supérieur, les jeunes filles enlèvent le voile pour passer les contrôles et le remettent dans la classe, avec une tolérance de l'enseignant	Non renseigné	Non renseigné	Silence de la presse. Pressions policières et administratives sur les personnes voilées, dénoncées par les associations de droits de l'homme, par ailleurs divisées sur l'attitude à avoir face aux islamistes
Turquie	Loi du 13/12/34 interdisant le port du voile hors des lieux de culte et des cérémonies religieuses. Loi du 15/07/65 interdisant le port du voile dans la fonction publique et les écoles. Circulaire du 28/03/97 interdisant le port du voile dans l'enceinte des lycées religieux.	Interdiction du port du voile dans toute l'enceinte de l'école, au risque de l'exclusion. Pas de différence primaire, secondaire, supérieur. Dispositif juridique appliqué très strictement, hormis certaines régions fortement islamisées (zones rurales, quartiers pauvres, lycées religieux) où le chef d'établissement peut fermer les yeux.	Jurisprudence constante. Ex. en 2001, 44 enseignantes ont perdu leur emploi pour port du voile. Nombreux cas d'étudiantes interdites de passer les examens pour port du voile sur leur carte d'identité.	Jurisprudence depuis 1989 interdisant le port du voile dans l'espace public et le monde du travail, notamment la fonction publique.	La question du voile cristallise les passions, enjeu symbolique entre les forces laïques et islamistes.

<u>Annexe</u> <u>4</u>

RÉPUBLIQUE FRANÇAISE
Liberté · Égalité · Fraternité

ministère
Jeunesse
Éducation
recherche

**Direction des
affaires juridiques**

Le directeur

DAJ/SP/n° **0 0 2 6**

Téléphone
01 55 55 14 52
Télécopie
01 55 55 28 55

Mél.
thierry-xavier.girardot
@education.gouv.fr

110 rue Grenelle
75357 Paris 07 SP

Paris le 10 mars 2003

→ D₀
Diffusé une réponse
le 11/3/03

NOTE

Objet : Le port de signes d'appartenance religieuse dans les établissements publics d'enseignement

L'étude de la jurisprudence du Conseil d'Etat permet de cerner de manière assez précise les types d'actions qui peuvent être mises en œuvre pour répondre aux problèmes posés par le port de signes d'appartenance religieuse au sein des établissements publics d'enseignement. Le principe de base de cette jurisprudence est qu'une interdiction générale et absolue du port des signes d'appartenance religieuse au sein des établissements est illégale. Il existe toutefois un ensemble de circonstances dans lesquelles les équipes enseignantes et les autorités administratives peuvent – et même doivent – agir pour assurer le respect de l'ordre et pour prévenir ou sanctionner toute forme de prosélytisme.

1. Il est illégal d'interdire le port de tout signe d'appartenance religieuse par les élèves des écoles et établissements publics d'enseignement.

C'est le principe de base qui est posé par l'avis du 27 novembre 1989 et repris par la jurisprudence à partir de la décision Kherouaa du 2 novembre 1992. Pour le Conseil d'Etat, la laïcité de l'école publique a pour objet de préserver la liberté de conscience de ces usagers que sont les élèves et, s'agissant de mineurs, les choix faits par leurs familles en ce qui concerne leur éducation religieuse. De là découle à la fois la stricte interdiction faite aux personnels de porter quelque signe d'appartenance religieuse que ce soit et le principe de liberté pour les usagers.

Cette liberté n'est pas absolue et l'avis du 27 novembre 1989 envisage un ensemble de cas dans lesquels le port de signes d'appartenance religieuse peut être réglementé ou interdit. Il précise également que les croyances religieuses, qu'elles se manifestent ou non par le port d'une tenue particulière, ne dispensent pas les élèves du respect d'un certain nombre de règles dont la méconnaissance peut donner lieu à des sanctions.

2/4

La rédaction abstraite de l'avis du 27 novembre 1989 a pu faire naître des difficultés d'interprétation[1]. C'est donc la jurisprudence qui a précisé les limites de la liberté d'expression de leurs convictions religieuse par les élèves des établissements publics d'enseignement.

2. Le port du « foulard islamique » ne peut pas être interdit par principe dans les écoles et établissements publics d'enseignement.

Ceci n'a été explicitement jugé qu'à l'occasion de la vague de recours contentieux provoquée par la mise en œuvre de la circulaire du 20 septembre 1994. Sans l'écrire, cette circulaire laissait entendre que le foulard islamique appartenait à la catégorie des signes que l'avis du 27 novembre 1989 décrivait comme « ostentatoires » par nature et pouvant à ce titre être interdits. Le Conseil d'Etat statuant au contentieux a refusé de suivre cette interprétation de son avis.

Il est à noter que le terme « foulard » qui est utilisé dans la jurisprudence du Conseil d'Etat renvoie principalement au foulard dit « islamique » qui couvre les racines des cheveux et le cou en laissant dégagé tout l'ovale du visage.

Les foulards plus légers, ou moins couvrants, ne peuvent, a fortiori, pas être interdits non plus, dès lors qu'ils sont portés pour des motifs religieux. La jurisprudence du Conseil d'Etat offre en effet une protection particulière aux signes d'appartenance religieuse ; elle ne s'oppose pas à l'interdiction du port des casquettes et autres couvre-chefs, pour des motifs liés au respect dû au maître, lorsque le port de ces couvre-chefs n'est pas lié à l'expression d'une croyance religieuse.

3. D'autres tenues peuvent – et doivent – être interdites au sein des établissements publics d'enseignement même lorsqu'elles sont l'expression d'une conviction religieuse.

Il en va ainsi, à l'évidence, des tenues qui couvrent l'intégralité du visage en ne laissant que les yeux apparents. Ces tenues doivent être interdites parce qu'elles sont incompatibles avec l'établissement de la relation nécessaire à l'enseignement et parce qu'elles posent potentiellement un problème d'ordre public en faisant obstacle à l'identification des personnes qui les portent. A fortiori bien sûr, les tenues qui cachent l'intégralité du visage couvrant certaines parties d'un grillage ne peuvent être acceptées dans les établissements publics d'enseignement. De telles tenues entrent sans aucun doute dans la catégorie des signes d'appartenance religieuse qui, selon les termes de l'avis du 27 novembre 1989, sont de nature à porter atteinte à la dignité de l'élève.

Il est vraisemblable que le Conseil d'Etat jugerait également que doivent être interdites les tenues qui, tout en laissant l'ovale du visage entièrement découvert, dissimuleraient par exemple l'intégralité du corps sous un habit noir. A partir d'un certain degré, le caractère ostentatoire de tenues portées pour des raisons religieuse est en effet de nature à provoquer un malaise au sein de la communauté éducative et en particulier chez les autres élèves. Le souci légitime d'éviter un tel malaise justifie l'interdiction du port de telles tenues dans ces établissements publics d'enseignement.

Il faut souligner que ce raisonnement ne concerne pas spécifiquement ni principalement l'islam. Le port d'une aube de communiante, à supposer qu'il soit ressenti comme une nécessité religieuse par les intéressées, ne saurait davantage être admis dans un établissement public d'enseignement.

4. Le port de signes d'appartenance religieuse peut être interdit lorsqu'il est un élément d'un comportement répréhensible.

---

[1] Comme l'a souligné dès l'origine le Professeur Jean Rivero dans l'excellent commentaire de l'avis qu'il a publié à la revue française de droit administratif (1990, p. 1).

3 / 4

Lorsque le port de signes d'appartenance religieuse s'accompagne d'un comportement prosélyte, l'administration peut réagir en prenant deux types de mesures. Elle doit en premier lieu sanctionner fermement toutes les formes de prosélytisme, qu'elles soient ou non liées au port d'un signe d'appartenance religieuse. Si la laïcité a pour objet la protection de la liberté de conscience des usagers du service public de l'enseignement, le prosélytisme est évidemment directement contraire à ce principe. Lorsque des comportements prosélytes ont été le fait d'élèves qui portaient des signes d'appartenance religieuse, l'administration peut également interdire temporairement le port de tout signe d'appartenance religieuse dans l'établissement afin de prévenir le renouvellement de ces comportements.

Le port de signes d'appartenance religieuse peut également être interdit lorsqu'il est la cause ou l'un des éléments d'un trouble à l'ordre public. Lorsque des élèves portant de tels signes sont les auteurs de désordres au sein de l'établissement, ces élèves peuvent être sanctionnés pour leur comportement et le port des signes d'appartenance religieuse peut être interdit temporairement. Il faut toutefois souligner que de telles mesures ne peuvent être prises que lorsque les élèves portant les signes d'appartenance religieuse sont à la source du désordre et non lorsque le désordre naît du refus par le personnel ou par les autres usagers d'accepter la présence d'un élève portant un signe d'appartenance religieuse dans des conditions qui ne justifient pas par elles-mêmes une sanction.

5. Le port de signes d'appartenance religieuse peut être interdit dans certaines circonstances particulières alors même que les élèves qui portent ces signes n'ont pas eu un comportement répréhensible.

Lorsqu'on observe dans un établissement une multiplication des incidents entre différentes communautés religieuses, une mesure temporaire d'interdiction du port de tout signe d'appartenance religieuse peut être nécessaire pour contribuer à l'apaisement des tensions. Dans ce genre de situations, il ne fait guère de doute que le Conseil d'Etat admettrait la légalité d'une mesure d'interdiction temporaire et non discriminatoire.

En l'absence même de tensions ou de troubles à l'ordre public, lorsque le port d'un signe d'appartenance religieuse prend un caractère massif dans un établissement ou dans une classe, une mesure d'interdiction sera justifiée si l'administration est en mesure de convaincre le juge que cette mesure était nécessaire notamment pour éviter tout risque de pression sur les élèves de la même confession qui ne désirent pas porter le signe d'appartenance en cause ou que l'augmentation du nombre des élèves portant un signe d'appartenance religieuse révèle un phénomène de prosélytisme rampant contre lequel il est nécessaire de protéger les élèves.

6. Le port de signes d'appartenance religieuse ne permet pas d'échapper aux obligations inhérentes à la qualité d'élève de l'enseignement public.

Le refus de participer à certains cours, qu'il soit le fait d'élèves portant des signes d'appartenance religieuse ou d'élèves qui n'en portant pas, constitue un manquement à l'obligation d'assiduité qui est de nature à justifier une sanction.

Le refus de porter une tenue conforme aux règles d'hygiène et de sécurité est également de nature à justifier une sanction même si ce refus est fondé sur des motifs d'ordre religieux. Le Conseil d'Etat juge ainsi de manière constante que le port du foulard islamique peut être interdit en sport et dans les laboratoires de physique ou de chimie. Le refus de l'enlever dans des circonstances peut être sanctionné.

La contestation du contenu de l'enseignement pour des motifs d'ordre religieux peut également faire l'objet de sanctions lorsqu'elle prend une forme provocatrice ou qu'elle reflète une volonté de prosélytisme. De la même manière, les contestations qui constituent par elles mêmes l'expression d'opinions racistes, xénophobes ou négationnistes doivent être sanctionnées.

4 / 4

7. Ce panorama permet de faire ressortir les grandes lignes de la jurisprudence et de tracer la frontière entre ce qui est légal et ce qui ne l'est pas.

La jurisprudence du Conseil d'Etat ne permet pas d'interdire par principe le port de tout signe d'appartenance religieuse dans les établissements publics d'enseignement. Mais elle ne prive pas pour autant les équipes éducatives de tout moyen d'action pour la défense de la laïcité. Au contraire, elle dégage un ensemble de situations dans lesquelles l'administration doit agir,

- pour interdire les signes qui iraient au-delà de ce qui est justifié par la liberté d'expression des croyances religieuses,
- pour prendre les mesures d'interdiction temporaire qui sont nécessaires pour rétablir l'ordre ou pour répondre à des risques particuliers de prosélytisme,
- ou encore pour sanctionner les comportements fautifs qui peuvent accompagner le port de signes d'appartenance religieuse.

LISTE DES PERSONNALITÉS AUDITIONNÉES

M. Rémy SCHWARTZ, maître des requêtes au Conseil d'Etat *(séance du 11 juin 2003)*

Mme Hanifa CHÉRIFI, chargée de mission auprès de M. le ministre de l'éducation nationale et de la recherche, médiatrice auprès des établissements d'enseignement pour les problèmes liés au port du voile *(séance du 11 juin 2003)*

Mme Elisabeth ROUDINESCO, psychanaliste *(séance du 11 juin 2003)*

M. Vianney SEVAISTRE, conseiller technique chargé des affaires cultuelles au cabinet de M. Sarkozy, ministre de l'intérieur, de la sécurité intérieure et des libertés locales et chef du bureau central des cultes, et de Mme Emmanuelle MIGNON, conseillère juridique au cabinet de M. Sarkozy *(séance du 17 juin 2003)*

M. Dominique BORNE, doyen de l'inspection générale de l'Education nationale et de M. Yvon ROBERT, chef de service de l'inspection générale de l'administration de l'Education nationale et de la recherche, co-présidents du comité national de réflexion et de propositions sur la laïcité à l'école *(séance du 24 juin 2003)*

M. Philippe GUITTET, secrétaire général du Syndicat national des personnels de direction de l'Education nationale (SNPDEN), de M. Pierre RAFFESTIN, responsable de la commission laïcité du SNPDEN et de Mme Marie-Ange HENRY, secrétaire académique de Paris et proviseur du lycée Jules-Ferry *(séance du 25 juin 2003)*

M. Jean-Paul de GAUDEMAR, directeur de l'enseignement scolaire, responsable des établissements publics et des établissements privés sous contrat *(séance du 25 juin 2003)*

Mme Thérèse DUPLAIX, proviseure du lycée Turgot de Paris 3ème, Mme Micheline RICHARD, proviseure du lycée professionnel Ferdinand Buisson d'Ermont dans le Val-d'Oise, Mme Elisabeth BORDY, proviseure du lycée Léonard de Vinci de Tremblay-en-France, en Seine-Saint-Denis, M. Pierre COISNE, principal du collège Auguste Renoir d'Asnières dans les Hauts-de-Seine, M. Régis AUTIÉ, directeur d'école élémentaire à Antony dans les Hauts de Seine, M. Olivier MINNE, proviseur du lycée Henri Bergson de Paris 19ème *(séance du 1er juillet 2003)*

M. Abdallah-Thomas MILCENT, médecin, auteur de l'ouvrage « Le foulard islamique et la République française, mode d'emploi » *(séance du 1er juillet 2003)*

MM. André LESPAGNOL, recteur de l'académie de Créteil, Daniel BANCEL, recteur de l'académie de Versailles, Paul DESNEUF, recteur de l'académie de Lille, Alain MORVAN, recteur de l'académie de Lyon, Gérald CHAIX, recteur de l'académie de Strasbourg, et Mme Sylvie SMANIOTTO, représentant M. Maurice Quenet, recteur de l'académie de Paris, chef de cabinet du recteur, magistrate, chargée des problèmes de communautarisme à l'école *(séance du 8 juillet 2003)*

M. Yves BERTRAND, directeur central des Renseignements généraux *(séance du 9 juillet 2003)*

M. Roland JOUVE, chargé des questions cultuelles au cabinet de M. Xavier Darcos, ministre délégué à l'enseignement scolaire *(séance du 15 juillet 2003)*

M. Farid ABDELKRIM, membre de l'Union des organisations islamiques de France (UOIF), accompagné de M. Charafeddine MOUSLIM, M. Yamin MAKRI, membre du Collectif des musulmans de France, accompagné de M. Fouad IMARRAINE, Mme Malika AMAOUCHE, militante féministe, Mme Malika DIF, écrivain, M. Bruno ETIENNE, directeur de l'observatoire du religieux à l'IEP d'Aix-en-Provence, Mme Françoise GASPARD, universitaire, Mme Dounia BOUZAR, chargée de mission à la protection judiciaire de la jeunesse *(séance du 16 septembre 2003)*

M. Mohamed ARKOUN, professeur émérite d'histoire de la pensée islamique de la Sorbonne Paris III, Mme Jeanne-Hélène KALTENBACH, essayiste, co-auteur de l'ouvrage « La République et l'islam », Mme Bétoule FEKKAR-LAMBIOTTE, personnalité qualifiée membre du Comité de conservation du patrimoine cultuel, M. Abdelwahab MEDDEB, professeur de littérature comparée à Paris X, auteur de l'ouvrage « Les maladies de l'Islam », Mme Camille LACOSTE-DUJARDIN, ethnologue spécialisée dans l'Afrique du Nord, auteur de l'ouvrage « Les filles contre les mères », M. Antoine SFEIR, directeur de la rédaction des « Cahiers de l'Orient », auteur de l'ouvrage « L'argent des islamistes », Mme Wassila TAMZALI, avocate, présidente du forum des femmes de la Méditerranée-Algérie et M. Slimane ZEGHIDOUR, journaliste à « La Vie », auteur de l'ouvrage « Le voile et la bannière » *(séance du 17 septembre 2003)*

M. Michel MORINEAU, créateur de la commission « laïcité et islam », Mme Fadela AMARA, présidente de la Fédération des maisons des potes, Mme Aline SYLLA et M. Khakid HAMDANI, membres du Haut conseil à l'intégration, MM. Michel TUBIANA et Driss EL-YAZAMI, président et vice-président de la Ligue des droits de l'homme, Jean-Michel DUCOMTE, président de la Ligue de l'enseignement, M. Richard SERERO, représentant de la Ligue contre le racisme et l'antisémitisme (LICRA), M. Mouloud AOUNIT, secrétaire général et Mme Monique LELOUCHE, responsable du secteur éducation du Mouvement contre le racisme et pour l'amitié des peuples (MRAP), et MM. Dominique SOPO et Mamadou GAYE, président et secrétaire général de SOS Racisme *(séance du 24 septembre 2003)*

M. Georges DUPON-LAHITTE, président et M. Faride HAMANA, secrétaire général de la Fédération des conseils de parents d'élèves (FCPE), Mme Lucille RABILLER, secrétaire générale de l'association des Parents d'élèves de l'enseignement public (PEEP), M. Bernard TEPER, président de l'Union des familles laïques (UFAL), Mme Véronique GASS, vice-présidente et M. Philippe de VAUJUAS, membre du bureau national de l'Union nationale des associations de parents d'élèves de l'enseignement libre (UNAPEL) *(séance du 24 septembre 2003)*

MM. Daniel ROBIN et Gérard ASCHIERI, Fédération syndicale unitaire (FSU), Mme Françoise RAFFINI, membre du bureau fédéral et M. Thomas JANIER, membre de la direction fédérale de la Fédération de l'éducation de la recherche et de la culture-CGT (FERC-CGT), M. Hubert RAGUIN, secrétaire fédéral de Force Ouvrière enseignement (FO-Enseignement), M. Jean-Louis BIOT, secrétaire national du Syndicat des enseignants-membre de l'Union nationale des syndicats autonomes (SE-UNSA), M. Hubert DUCHSCHER, secrétaire national du Syndicat national unitaire des professeurs d'école (SNUIPP), Mme Stéphanie PARQUET-GOGOS, secrétaire générale du Syndicat Sud-Education du Cher, M. Hubert TISON, secrétaire général de l'Association des professeurs d'histoire et de géographie (APHG), M. Patrick GONTHIER, secrétaire général de l'UNSA–Education *(séance du 30 septembre 2003)*

M. Michel BOULEAU, magistrat près du tribunal administratif de Paris (commissaire du gouvernement dans l'arrêt Kherouaa) *(séance du 1er octobre 2003)*

M. Claude DURAND-PRINBORGNE, juriste de droit public, ancien responsable de l'enseignement scolaire et ancien recteur, spécialiste des aspects juridiques de la laïcité et de M. Michele DE SALVIA, jurisconsulte auprès de la Cour européenne des droits de l'homme *(séance du 7 octobre 2003)*

M. Dalil BOUBAKEUR, président du Conseil français du culte musulman (CFCM) et recteur de la Grande Mosquée de Paris *(séance du 8 octobre 2003)*

M. Fouad ALAOUI, vice-président du Conseil français du culte musulman (CFCM), secrétaire général de l'Union des organisations islamiques de France (UOIF) et de M. Okacha Ben Ahmed Daho, secrétaire général adjoint de l'UOIF *(séance du 8 octobre 2003)*

M. Mohamed BECHARI, vice-président du Conseil français du culte musulman (CFCM), président de la Fédération nationale des musulmans de France (FNMF) *(séance du 8 octobre 2003)*

M. Mohsen ISMAÏL, théologien et sociologue de l'islam, et M. Haydar DEMIRYUREK, secrétaire général du Conseil français du culte musulman (CFCM) et responsable du Comité de coordination des musulmans turcs de France (CCMTF) *(séance du 8 octobre 2003)*

M. Mohamed BENELMIHOUB, président de la confrérie musulmane Tidjania *(séance du 9 octobre 2003)*

Mlle Kaïna BENZIANE, de Mme Annie SUGIER, présidente de la Ligue internationale des droits de la femme et de Me Linda WEIL-CURIEL, avocate de la Ligue *(séance du 9 octobre 2003)*

Monseigneur Jean-Paul JAEGER, évêque d'Arras, président de la commission « éducation, vie et foi des jeunes » de la Conférence des évêques de France *(séance du 14 octobre 2003)*

M. Pierre CRÉPON président de l'Union bouddhiste de France (UBF) *(séance du 15 octobre 2003)*

M. Jean-Arnold de CLERMONT, représentant de la Fédération protestante de France *(séance du 15 octobre 2003)*

M. le Grand Rabbin Alain SENIOR, représentant du Grand Rabbinat de France *(séance du 15 octobre 2003)*

M. Jean-Yves GOEAU-BRISSONIERE, grand maître honoris causa de la Grande Loge de France, Mme Marie-Françoise BLANCHET, grande maîtresse de la Grande Loge féminine de France, Mme Marie-Danielle THURU, grand maître de la Grande Loge féminine Memphis-Misraïm, Mme Marcelle CHAPPERT, présidente de la Grande Loge mixte de France, Mme Anne-Marie DICKELE, présidente de la Grande Loge mixte universelle, M. Jean-Pierre PILORGE, grand secrétaire de la Grande Loge nationale française, M. Michel FAVIER, grand secrétaire-adjoint de la Grande Loge traditionnelle et symbolique Opéra, M. Albert MOSCA, grand maître adjoint du Grand Orient de France, Mme Marie-Noëlle CHAMPION-DAVILLER, président du conseil national de la fédération française de l'Ordre maçonnique mixte international – Le droit humain *(séance du 21 octobre 2003)*

M. Sylvain FAILLIE, principal du collège Jean Rostand de Trélazé dans le Maine-et-Loire, M. Jean-Paul FERRIER, principal du collège Léo Larguier de La Grand'Combe dans le Gard, M. Eric GEFFROY, principal du collège Jean Monet de Flers en Basse-Normandie, M. Armand MARTIN, proviseur du lycée Raymond Queneau de Villeneuve-d'Ascq dans le Nord, M. Roger POLLET, proviseur du lycée Jean Moulin d'Albertville en Savoie, M. Michel PARCOLLET, proviseur du lycée Faidherbe de Lille dans le Nord, M. Jean-Paul SAVIGNAC, proviseur du lycée Colbert de Marseille dans les Bouches-du-Rhône et M. Philippe TIQUET, proviseur du lycée Voltaire d'Orléans dans le Loiret Mme Stanie LOR SIVRAIS, proviseur du lycée La Martinière-Duchère de Lyon dans le Rhône *(séance du 22 octobre 2003)*

M. Roger ERRERA, conseiller d'Etat honoraire *(séance du 28 octobre 2003)*

M. Jean CHAMOUX, directeur du collège privé Saint-Mauront et Melle Chantal MARCHAL, directrice de l'école primaire privée Saint-Mauront de Marseille dans les Bouches-du-Rhône, Mme Barbara LEFEBVRE, enseignante agrégée d'histoire géographie, co-auteur de l'ouvrage des enseignants « Les territoires perdus de la République », M. Makhlouf MAMECHE, directeur-adjoint du collège musulman Averroès de Lille dans le Nord, accompagné de M. Lasfar AMAR, recteur de la mosquée Lille-sud, M. Jean-Claude SANTANA, porte-parole des enseignants du lycée public La Martinière-Duchère de Lyon dans le Rhône, accompagné de M. Roger SANCHEZ, M. Alain TAVERNE, principal du collège privé épiscopal Saint-Etienne de Strasbourg dans le Bas-Rhin, M. Shmuel TRIGANO, sociologue et professeur des universités *(séance du 29 octobre 2003)*

Monseigneur Fortunato BALDELLI, Nonce apostolique (compte rendu non publié)

M. Ronny ABRAHAM, conseiller d'Etat, directeur des affaires juridiques du ministère des affaires étrangères *(séance du 5 novembre 2003)*

M. Luc FERRY, ministre de la jeunesse, de l'éducation nationale et de la recherche et de M. Xavier DARCOS, ministre délégué à l'enseignement scolaire *(séance du 12 novembre 2003)*

M. Nicolas SARKOZY, ministre de l'intérieur, de la sécurité intérieure et des libertés locales *(séance du 19 novembre 2003)*

Le compte rendu de ces auditions est disponible sur le site de l'Assemblée nationale
(www.assemblee-nationale.fr)

Imprimé en France par la
Société Nouvelle Firmin-Didot en janvier 2004

N° d'impression : 66687
N° d'édition : 7381-1462-X
Dépôt légal : janvier 2004